UNION GENERALE D'EDITIONS
8, rue Garancière - PARIS VIe.

du même auteur
aux Éditions Christian Bourgois :

THEATRE

THÉATRE I (1)
Oraison
Les Deux Bourreaux
Fando et Lis
Le Cimetière des Voitures

THÉATRE II
Guernica, le Labyrinthe
Le Tricycle
Pique-nique en campagne
La Bicyclette du condamné

THÉATRE III
Le Grand Cérémonial
Cérémonie
pour un Noir assassiné

THÉATRE IV
Le Couronnement
Concert dans un œuf

THÉATRE V
Théâtre panique
L'Architecte
et l'Empereur d'Assyrie (2)

THÉATRE VI
Le Jardin des délices
Bestialité érotique
Une tortue nommée
Dostoïevski

THÉATRE VII (2)
Théâtre de guérilla
... Et ils passèrent
des menottes aux fleurs
L'Aurore rouge et noire

THÉATRE VIII
Deux opéras paniques
Ars amandi
Dieu
tenté par les mathématiques

THÉATRE IX
Le ciel et la merde
La grande revue
du xxe siècle

POESIE

La Pierre de la Folie, Cent Sonnets *(Melzer Verlag)*

ROMANS

Baal Babylone (2), L'Enterrement de la sardine (2)
Fêtes et Rites de la Confusion *(Eric Losfeld)*

FILM

Viva la Muerte (2)

DOCUMENT

Lettre au général Franco (1) (2)

ESSAIS

« Arrabal » par Bernard Gille
(Seghers : Col. : Théâtre de tous les temps)
« Arrabal » par Françoise Raymond
(P.U.F. : Col. : Classiques du xxe siècle)
« Entretiens avec Arrabal » par Alain Schifres

Arrabal dirige les cahiers « Le Théâtre »

---

(1) Livre publié également en langue espagnole (C.B., éd. ou 10/18).
(2) Livre publié aussi dans la collection 10/18.

ARRABAL

LE CIMETIÈRE DES VOITURES

CHRISTIAN BOURGOIS EDITEUR

ISBN 2-264-00429-0

POUR UN CÉRÉMONIAL DU THÉATRE

Le théâtre est surtout une cérémonie, une fête, qui tient du sacrilège et du sacré, de l'érotisme et du mysticisme, de la mise à mort et de l'exaltation de la vie.
Je rêve d'un théâtre où humour et poésie, fascination et panique ne feraient qu'un. Le rite théâtral se changerait alors en un « operamundi », comme les phantasmes de Don Quichotte, les cauchemars d'Alice au pays des merveilles, le délire de K., voire les songes humanoïdes qui hanteraient les nuits d'une machine IBM.

Arrabal 1967.

A 34 ans, tout petit bonhomme, au visage carré encadré d'un collier de barbe noire, avec la crinière bouclée, le front puissant, l'air sardonique et tendre qu'on imagine aux Fous de Shakespeare, Arrabal pousse sa vie entre l'angoisse et la tendresse, entre le cauchemar et l'émerveillement : l'un de ces écrivains hantés par leur enfance qui ne cessent d'incarner leurs obsessions.

Le 17 juillet 1936, à Melilla, Maroc espagnol, éclate une guerre civile. Le lieutenant Arrabal est arrêté dans son lit ; Fernando a trois ans. Ils ne se reverront plus. « Ma mère a refusé qu'il nous embrasse : il n'était pas digne. On l'a condamné à mort, puis gracié, puis enfermé dans un hôpital psychiatrique, puis rien. Ma mère nous avait dit qu'il était mort en 36, mais ce n'était pas vrai. Chez nous, il était indécent de prononcer son nom. En 61, j'ai fait des recherches, je suis entré dans la prison de Burgos, moi Arrabal ! On m'a montré les dossiers. J'ai vu aussi l'hôpital : le train Madrid-Paris passe sous les fenêtres. Et s'il avait sauté dedans, s'il était vivant... » La vie d'Arrabal se place sous le signe de ce premier effroi, de cette première déchirure : la trahison du Père — de sa mémoire — par la Mère.

Pourtant, le jeune Fernando, étudiant madrilène, n'est pas un révolté. Il vénère sa mère, jusqu'à la jalousie, et les mots Patrie, Armée, Religion lui sont sacrés. Les Pères Escolapios lui enseignent que Voltaire est un monstre satanique et, en trois phrases, exécutent Rimbaud. C'est très bien. Il sera officier d'aviation. Mais, à seize ans, quand il doit prêter ser-

ment au drapeau, selon la tradition, il se rebelle pour la première fois. Non par antimilitarisme. Il a une sainte trouille, Arrabal, de monter en avion.

Puis tout se précipite. La crise d'adolescence, pour cet Espagnol doué, fort en thème, fort en maths, c'est une révolte totale contre sa mère, contre la société, contre sa laideur, sa petite taille, contre le sentiment de la Faute. Et s'insurger à Madrid, en 1950, quand on a 18 ans, c'est écouter la B.B.C., c'est avaler, au Centre Ateneo, refuge des libéraux, Kafka, Dostoïevski ; c'est dénicher, le cœur battant, chez un bouquiniste, Du Contrat social, *livre interdit, et découvrir avec déception que ça n'est pas très pornographique.*

C'est enfin, pour Arrabal, écrire des poèmes, des pièces pour un théâtre en carton animé de figurines découpées dans les journaux, et après cinq ans de droit, un prix de littérature (pour le Tricycle*), obtenir une bourse pour étudier le théâtre en France, débarquer à Paris, se découvrir tuberculeux, passer deux ans en sana, pouvoir écrire : « un vrai conte de fée » !*

Pour tout cela, Arrabal n'est pas, ne sera jamais un homme libre : « Dans mon enfance, pour moi, tout était péché et je me demande jusqu'à quel point le monde du péché ne me poursuit pas toujours. En Espagne, les enfants sont très cruels. En France, je ne sais pas. Ils m'appelaient « grosse tête ». Longtemps, on n'a pu prononcer devant moi le mot « tête », le mot « taille ». Cela me semblait impossible de mener une vie normale, de voir des gens, d'aller tous les matins au bureau. J'ai peur de tout, mais je n'ai plus peur de moi. J'ai trouvé mon équilibre : il me faut à tout prix éviter la folie et, pourtant, pratiquer quelques pseudo-manières de folie. Je cultive l'ironie de moi-même. Je ris de moi, je me veux grotesque en face d'un monde organisé. Si j'étais « normal », je ne serais pas normal. »

Dans l'ambiance madrilène, le personnage arrabalien des premières pièces se dessine très vite : c'est l'éternel Enfant. Habité par le sentiment de la faute et du péché, Arrabal rêve de l'innocence, de l'aube d'un monde pur comme l'enfance, mais aussi cruel comme elle, où le bien et le mal sont étroitement mêlés, comme dans la vie, comme dans sa vie. D'un côté, l'univers kafkaïen des adultes, et son oppression, métho-

diquement organisée : les Adultes, détenteurs du Code où ils savent lire la Loi et distinguer les choses qui se font et qui ne se font pas, l'intelligence et la bêtise, le bon et le mauvais goût, la bonne et la mauvaise manière de tuer, d'aimer, de voler. De l'autre côté, l'univers immatériel, intemporel, amoral de l'Enfance. Toute la puissance subversive, poétique, érotique du théâtre d'Arrabal naît du choc de ces deux mondes. En cela, l'héritier de tous ceux qui, de Lewis Carroll à Charlot, de Jarry à Vitrac, de Boris Vian à Queneau, Dubillard et Gombrowicz ont su opposer à l'ordre du monde la logique terroriste de l'enfance.

L'homme-enfant-sadique, la femme-enfant-putain, héros privilégiés d'Arrabal, vivent dans l'émerveillement et la crainte, à la frange de toute morale. Ils vivent même en dehors de leurs sentiments qui, pour eux, même l'amour, même la mort, sont des jouets ou des habits de théâtre.

Ils passent sans sourciller de la plus grande tendresse à la plus extrême cruauté, tuant et torturant comme un gosse arracherait ses ailes à une mouche, pour se faire plaisir. Ils sont contents de peu, vaniteux, égoïstes et touchants. Qu'ils enfilent une défroque et ils se croient les meilleurs acteurs du monde (Cérémonie pour un Noir assassiné). *Ils se font, au milieu de l'horreur, des cadeaux dérisoires, un vase de nuit, un ballon bleu* (la Bicyclette du Condamné). *Ils « jouent aux adultes » — par exemple « à pleurer un être cher » parce que « ça fait joli ». Ils opposent le Beau au Bien. Ils ont une esthétique, non une éthique. D'où ce décalage comique entre l'énormité de leurs actes et la conscience qu'ils en prennent : les personnages du* Tricycle *décident de tuer un riche pour payer la location de leur triporteur et s'acheter des sandwiches aux anchois. Quand survient la police, ils se demandent pourquoi, puis prennent peur, tentent de se justifier : « Et puis, on l'a tué sans malice », de se sauver : « J'ai de très grandes jambes, je pourrai courir. » — « Et s'ils ne savent pas, eux, que tu as de grandes jambes ? » — « Je le leur dirai. » Rhétorique affolée, puérile dialectique, qui rappelle* Alice au Pays des Merveilles.

Chez l'Enfant d'Arrabal, point d'arrière-pensées, de sous-entendus, d'ambiguïté, de psychologie : *tout est dit, tout est nu, tout est en surface. La sexualité est animale, la cruauté instinctive. Le héros ne cache rien. Il connaît d'ailleurs qu'il est dangereux d'entrer dans le jeu des Adultes. « Moi, il faut que je dorme, affirme l'un des clochards du* Tricycle. *Quand je pense, j'ai faim et froid. » Et l'autre lui répond : « Oui, c'est l'ennui quand on pense. » Les personnages d'Arrabal n'ont pas de « valeurs » comme les adultes, mais, comme les enfants, des « trucs ». Fando, de* Fando et Lis, *sait comment déterminer qui a raison dans une discussion : c'est le premier qui prononce le mot « ou ». Pourquoi pas ce système plutôt qu'un autre, puisqu'on n'est jamais sûr de rien, que c'est le lot de chacun d'être lui-même et son contraire ?*

Dans cette vertu incorruptible d'innocence, dans le langage lisse, comme leur âme et leurs actes, des héros d'Arrabal se trouvent leur humour et leur liberté, leur fragile espoir d'arriver à l'impossible bonté, l'impossible pureté qu'on imagine à l'enfance : « Parfois, dit Arrabal, je me dis que la Bonté et la Pureté pourraient bien être des inventions de la police, et lui profiter, mais je ne peux m'empêcher de « jouer à la bonté » et à sa rivale, la méchanceté ».

*Le royaume de l'enfance, c'est donc aussi le règne du cauchemar. Arrabal, admirateur de Goya, de Valle-Inclan, de Bunuel, reste avant tout un Espagnol, friand de rites macabres, grotesques, érotiques. Mystiques et sacrilèges à la fois. Ses dernières pièces vont dans le sens du baroque : une magie, une fête somptueuse, un foisonnement de gestes, de cris et de couleurs, destinés à violenter, à « choquer » le spectateur. La fête primitive, l'univers puéril, embryonnaire d'*Oraison, *du* Cimetière des Voitures, *du* Tricycle *explose dans* le Couronnement *ou* l'Architecte et l'Empereur d'Assyrie, *en cérémonial érotique, en messe extravagante et profane, en cauchemar somptueux. Surréalisme ? Le rêve n'est jamais coupé du réel, mais il s'agit d'une réalité intérieure, subjective. Arrabal se met en scène, ordonne autour de ses obsessions un sacrifice toujours recommencé : « Mon théâtre n'est pas surréaliste — explique-t-il — et n'est pas seulement réaliste : il est réaliste,* y compris le cauchemar. *Le cauchemar tient une grande part dans ma vie. Pourquoi ne pas le mettre dans mes livres ? Souvent, dans mon théâtre, les situations se modifient, les personnages, les idées sont interchangeables, et le monstre recèle la beauté, le criminel* *renferme la sainteté, la victime cache le bourreau. Qu'un être très bon devienne soudain très méchant, que des athlètes à l'entraînement dans* le Cimetière des Voitures, *brusquement se transforment en policiers, c'est la vie même ! L'idée de « confusion » m'obsède. J'entends par confusion tout ce qui est contradictoire, inexplicable, inespéré, tout ce qui forme les* coups de théâtre, *et je pense, aujourd'hui, que rien n'est humain, rien n'est de la Terre, s'il n'est pas confus. Je fais un théâtre réaliste qui représente cette confusion. »*

Le baroque d'Arrabal : « réalisme de la confusion ». Une nouvelle façon pour lui de libérer ses obsessions en les transfigurant, les ordonnant, retrouvant ainsi comme Jean Genêt le sens premier du théâtre, où une part de liberté, d'improvisation peut s'insinuer, ajoutant à la Magie, qui est la fin dernière du spectacle : « Il peut y avoir pour toute chose une Cérémonie : quand vous mettez votre première cravate, quand vous achetez un bijou à une femme. C'est dans ce sens que j'aime le théâtre. Quand je pense à l'amour, par exemple, j'y vois plusieurs dimensions : il y a d'abord l'amour que l'on vit et il peut être vécu dans la réalité (au premier degré) ou dans la cérémonie (avec une certaine théâtralité). On peut imaginer d'autres dimensions, si l'on pense, comme il m'arrive de le faire, que l'amour est inexistant. On me reproche de mettre en scène le sadisme, le masochisme, mais je crois plus simplement qu'il y a dans la souffrance une impression de vivre, une exaltation qui naît d'une auto-tendresse, du sentiment qu'au fond rien n'a vraiment de sens : et c'est pour cela qu'on crée les rites de l'amour, la Cérémonie. J'écris donc mes pièces, comme on ordonne une cérémonie, avec la précision d'un joueur d'échecs et, en même temps, je préfère une éphémère panique, *où le théâtre s'exprimerait par un délire sans rapport avec la technique. C'est pourquoi, dans mes pièces non publiées, j'incorpore souvent des* happenings, *les construisant comme une série de lignes, dont chacune peut recevoir des acteurs l'intensité, le mouvement qu'ils désirent. »*

Fondateur du « Mouvement Panique », avec le dessinateur Topor, l'écrivain Sternberg, le metteur en scène Jodorowsky, passionné par le « happening », Arrabal délaisse aujourd'hui quelque peu ses paraboles « enfantines » pour exploiter la veine du fantastique et du rituel.

On attendait Arrabal au tournant de ses rêves. On ne sera pas déçu : l'Architecte et l'Empereur d'Assyrie *est une fête somptueuse et macabre, onirique et symbolique, construite selon les deux règles d'or du çérémonial arrabalien, la circularité (la fin de la pièce est calquée sur son début) et le polymorphisme des personnages (qui se transforment sans cesse) : l'Architecte, qui commande aux forces de la nature, vit seul dans une île quand, à la suite d'un accident d'avion, débarque l'Empereur d'Assyrie, qui connaît les lois de la civilisation, de la philosophie et du bonheur terrestre. Une étrange partie d'échecs se déroule entre ces deux Principes, qui changent perpétuellement d'espèces, la forme que prend l'un entraînant la métamorphose de l'autre. Ainsi voyons-nous l'Empereur jouer le rôle de la fiancée, du tyran, du confesseur, du flagellant, du mort, de l'éléphant sacré, quand l'Architecte devient la mère, le courtisan, le pénitent, le flagellé, le fossoyeur, le cornac... Enfin, l'Empereur demande à l'Architecte de le manger : « Je veux que tu sois à la fois toi et moi. » L'Architecte le croque avec appétit et progressivement se transforme en Empereur. A la chute du rideau, l'Empereur est seul : « Enfin seul !... Cette fois c'est sûr, je vais être heureux... J'oublie tout le passé... » Quand, à la suite d'un accident d'avion, débarque l'Architecte...*

Excessif et fragile Arrabal !

*A l'écart du théâtre réaliste ou psychologique, en marge de l'« Absurde », une œuvre singulière trouve sa voie entre l'apothéose et la dérision, la peur et la tendresse. Arrabal poursuit sa route incertaine, ne cessant d'ordonner des fêtes pour mieux se tenir à l'écart de ses mauvais rêves. Car l'existence est trop tragique pour qu'on la prenne au sérieux : « Alors, ce qui est arrivé, c'est qu'elle et lui se sont mis à jouer à penser mais, comme il ne savait pas prendre une bonne position, il pensait très mal et, quand elle lui a montré dans quelle position il fallait se mettre, il n'a pu penser qu'à la mort » (*Fando et Lis*).*

ALAIN SCHIFRES.

(Réalités).

Quelques semaines après cet essai d'Alain Schifres sur le théâtre d'Arrabal, celui-ci, victime d'une provocation, a été emprisonné et jugé à Madrid.

Oraison

DRAME MYSTIQUE

EN SCÈNE

Les deux personnages : Fidio et Lilbé, homme et femme.
Un cercueil d'enfant, noir.
Quatre cierges.
Un crucifix de fer.
Au fond, un rideau noir.

(La pièce ne comprend qu'un seul tableau.)

Obscurité.

Faibles vagissements d'un nouveau-né pendant un moment. Soudain, cri perçant du bébé, suivi aussitôt d'un silence.

FIDIO. — A partir d'aujourd'hui, nous serons bons et purs.

LILBÉ. — Que t'arrive-t-il ?

FIDIO. — Je dis qu'à partir d'aujourd'hui nous serons bons et purs comme les anges.

LILBÉ. — Nous ?

FIDIO. — Oui.

LILBÉ. — On ne pourra pas.

FIDIO. — Tu as raison. *(Un temps.)* Ce sera très difficile. *(Un temps.)* On essaiera.

LILBÉ. — Comment ?

FIDIO. — En observant la loi du Seigneur.

LILBÉ. — Je l'ai oubliée.

FIDIO. — Moi aussi.

LILBÉ. — Alors, comment allons-nous faire ?

FIDIO. — Pour savoir ce qui est bien et mal ?

LILBÉ. — Oui.

FIDIO. — J'ai acheté la Bible.

LILBÉ. — Et ça suffit ?

FIDIO. — Oui, ça nous suffira.

LILBÉ. — Nous serons des saints.

FIDIO. — C'est trop demander. *(Un temps.)* Mais on peut essayer.

LILBÉ. — Ça va être tout différent.

FIDIO. — Oui, très.

LILBÉ. — Comme ça, on ne s'ennuiera pas, comme maintenant.

FIDIO. — Et puis ce sera très beau.

LILBÉ. — Tu es sûr?

FIDIO. — Oui sans doute.

LILBÉ. — Lis-moi un peu le livre.

FIDIO. — La Bible?

LILBÉ. — Oui.

FIDIO, *lisant.* — « Au commencement Dieu créa le ciel et la terre. » *(Enthousiaste.)* Comme c'est joli.

LILBÉ. — Oui, c'est très joli.

FIDIO, *lisant.* — « Dieu dit : Que la lumière soit! Et la lumière fut. Dieu dit que la lumière était bonne et Dieu sépara la lumière d'avec les ténèbres. Dieu appela la lumière jour, et il appela les ténèbres nuit. Ainsi il y eut un soir et il y eut un matin ; ce fut le premier jour. »

LILBÉ. — Tout a commencé comme ça?

FIDIO. — Oui. Tu vois comme c'est simple.

LILBÉ. — Oui, on me l'avait expliqué d'une façon beaucoup plus compliquée.

FIDIO. — Les histoires de cosmos?

LILBÉ, *souriant.* — Oui.

FIDIO, *souriant.* — A moi aussi.

LILBÉ, *souriant.* — Et aussi l'évolution.

FIDIO. — Quelles drôles de choses!

LILBÉ. — Lis-m'en encore un peu.

FIDIO, *lisant.* — « L'éternel Dieu forma l'homme de la poussière de la terre, il souffla dans ses mains un souffle de vie et l'homme devint un être vivant! » *(Un temps.)* « Alors l'Éternel Dieu fit tomber un profond sommeil sur l'homme qui s'endormit ; il prit une des ses côtes, et referma la chair à sa place. L'Éternel Dieu forma une femme de la côte qu'il avait prise de l'homme. »

Fidio et Lilbé s'embrassent.

LILBÉ. *inquiète.* — Et on pourra coucher ensemble comme avant?
FIDIO. — Non.
LILBÉ. — Il faudra que je dorme toute seule alors?
FIDIO. — Oui.
LILBÉ. — Mais je vais avoir très froid.
FIDIO. — Tu t'y habitueras.
LILBÉ. — Et toi? Tu ne vas pas avoir froid?
FIDIO. — Si, moi aussi.
LILBÉ. — Alors, on ne se disputera pas comme lorsque tu prends tout le drap ?
FIDIO. — Bien sûr.
LILBÉ. — En voilà une affaire difficile, la bonté.
FIDIO. — Oui, très.
LILBÉ. — Je pourrai mentir?
FIDIO. — Non.
LILBÉ. — Même pas faire des petits mensonges?
FIDIO. — Même pas.
LILBÉ. — Et voler des oranges à l'épicière?
FIDIO. — Non plus.
LILBÉ. — On ne pourra pas aller s'amuser, comme avant, au cimetière?
FIDIO. — Si pourquoi pas?
LILBÉ. — Et crever les yeux des morts, comme avant.
FIDIO. — Ça, non.
LILBÉ. — Et tuer?
FIDIO. — Non.
LILBÉ. — Alors, on va laisser les gens continuer à vivre?
FIDIO. — Évidemment.
LILBÉ. — Tant pis pour eux.
FIDIO. — Est-ce que tu ne te rends pas compte de ce qu'il faut faire pour être bon?
LILBÉ. — Non. *(Un temps).* Et toi?
FIDIO. — Pas très bien. *(Un temps.)* Mais j'ai le livre, comme ça je saurai.
LILBÉ. — Toujours le livre.
FIDIO. — Toujours.
LILBÉ. — Et qu'arrivera-t-il ensuite?
FIDIO. — On ira au ciel.

LILBÉ. — Tous les deux?

FIDIO. — Si nous avons une bonne conduite, tous les deux, oui.

LILBÉ. — Et que ferons-nous au ciel?

FIDIO. — On s'amusera.

LILBÉ. — Toujours?

FIDIO. — Oui, toujours.

LILBÉ, *incrédule.* — Ce n'est pas possible.

FIDIO. — Si, si, c'est possible.

LILBÉ. — Pourquoi?

FIDIO. — Parce que Dieu est tout-puissant, Dieu fait des choses impossibles. Des miracles.

LILBÉ. — Ça alors!

FIDIO. — Et de la façon la plus simple.

LILBÉ. — Moi, à sa place, j'en ferais autant.

FIDIO. — Écoute ce que dit la Bible : « On amena vers Jésus un aveugle qu'on le pria de toucher. Il prit l'aveugle par la main et le conduisit hors du village ; puis il lui mit de la salive sur les yeux, lui imposa les mains, et lui demanda s'il voyait quelque chose. Il regarda et dit : j'aperçois les hommes, mais je vois comme des arbres et qui marchent. Jésus lui mit de nouveau les mains sur les yeux, et quand l'aveugle le regarda fixement, il fut guéri et vit tout distinctement. »

LILBÉ. — Comme c'est joli.

FIDIO. — Il disait qu'il fallait être bon.

LILBÉ. — Alors nous serons bons.

FIDIO. — Et qu'il faudrait être semblable aux enfants.

LILBÉ. — Comme des enfants?

FIDIO. — Oui, purs comme des enfants.

LILBÉ. — C'est difficile.

FIDIO. — On essaiera.

LILBÉ. — Pourquoi as-tu pris cette manie maintenant?

FIDIO. — J'en avais assez.

LILBÉ. — Seulement pour ça?

FIDIO. — Et puis c'était très laid ce que nous avons fait jusqu'à présent.

LILBÉ. — Et qu'est-ce que c'est cette histoire de ciel?

FIDIO. — C'est là que nous irons après notre mort.

LILBÉ. — Si tard?

FIDIO. — Oui.
LILBÉ. — On ne peut pas y aller plus tôt?
FIDIO. — Non.
LILBÉ. — Ce n'est pas drôle.
FIDIO. — Oui, c'est le plus ennuyeux.
LILBÉ. — Et que ferons-nous au ciel?
FIDIO. — Je te l'ai déjà dit : on s'amusera.
LILBÉ — Je voudrais te l'entendre dire encore une fois. *(Un temps.)* Ça semble impossible.
FIDIO. — Nous serons comme les anges.
LILBÉ. — Comme les bons ou comme les autres?
FIDIO. — Les autres ne vont pas au ciel, les autres ce sont les démons et ils vont en enfer.
LILBÉ. — Et qu'est-ce qu'ils y font?
FIDIO. — Ils souffrent beaucoup : ils brûlent.
LILBÉ. — En voilà un changement!
FIDIO. — Ces anges-là étaient très mauvais et ils se sont révoltés contre Dieu.
LILBÉ. — Pourquoi?
FIDIO. — Par orgueil. Ils voulaient être plus que Dieu.
LILBÉ. — Ils exagéraient!
FIDIO. — Oui, beaucoup.
LILBÉ. — Nous, nous nous contentons de beaucoup moins.
FIDIO. — Oui, de beaucoup moins.
LILBÉ. — Dis, je veux commencer tout de suite à être bonne.
FIDIO. — On commence à l'instant même.
LILBÉ. — Comme ça, sans transition?
FIDIO. — Oui.
LILBÉ. — Personne ne va s'en apercevoir.
FIDIO. — Si, Dieu s'en apercevra.
LILBÉ. — C'est sûr?
FIDIO. — Oui, Dieu voit tout.
LILBÉ. — Il voit même quand je fais pipi?
FIDIO. — Oui, même ça.
LILBÉ. — Je vais avoir honte maintenant.
FIDIO. — Dieu marque avec des lettres d'or dans un très beau livre tout ce que tu fais de bien et dans un livre très vilain avec une écriture très laide tous tes péchés.

LILBÉ. — Je serai bonne. Je veux qu'il écrive toujours avec des lettres d'or.
FIDIO. — Tu ne dois pas être bonne seulement pour ça.
LILBÉ. — Pour quoi d'autre?
FIDIO. — Pour ton bonheur.
LILBÉ. — Quel bonheur?
FIDIO. — Pour être heureuse.
LILBÉ. — Je pourrai être heureuse aussi en étant bonne?
FIDIO. — Oui, aussi.
LILBÉ. — Est-ce que le bonheur existe?
FIDIO. — Oui. *(Un temps.)* On le dit.
LILBÉ, *triste.* — Et ce que nous avons fait avant?
FIDIO. — Ce que nous avons fait de mal?
LILBÉ. — Oui.
FIDIO. — Il faudra le confesser.
LILBÉ. — Tout?
FIDIO. — Oui, tout.
LILBÉ. — Et aussi que tu me déshabilles pour que tes amis couchent avec moi?
FIDIO. — Oui, ça aussi.
LILBÉ, *triste.* — Et aussi... que nous avons tué? *(Elle montre le cercueil.)*
FIDIO. — Oui, aussi. *(Un temps triste.)* Nous n'aurions pas dû le tuer. *(Un temps.)* Nous sommes mauvais. Il faut être bon.
LILBÉ, *triste.* — On l'a tué pour la même raison.
FIDIO. — La même raison?
LILBÉ. — Oui, on l'a tué pour s'amuser.
FIDIO. — Oui.
LILBÉ. — Et on ne s'est amusé qu'un instant.
FIDIO. — Oui.
LILBÉ. — Si on essaie d'être bon, ça ne sera pas la même chose?
FIDIO. — Non, ça c'est plus complet.
LILBÉ. — Plus complet?
FIDIO. — Et plus joli.
LILBÉ. — Et plus joli?
FIDIO. — Oui, tu sais comment est né le fils de Dieu? *(Un temps.)* C'est arrivé il y a très longtemps. Il est né dans une crèche très pauvre de Bethléem et comme

il n'avait pas d'argent pour se chauffer, une vache et un âne le réchauffaient de leur haleine. Et comme la vache était toute contente de servir Dieu elle faisait meuh-meuh. Et l'âne brayait. Et la maman de l'enfant, qui était la mère de Dieu, pleurait, et son mari la consolait.

LILBÉ. — Ça me plaît beaucoup.

FIDIO. — A moi aussi.

LILBÉ. — Et que lui est-il arrivé, à l'enfant?

FIDIO. — Il ne disait rien, bien qu'il fût Dieu. Et comme les hommes étaient méchants ils ne lui ont presque rien donné à manger.

LILBÉ. — En voilà des gens!

FIDIO. — Mais un jour dans un royaume très lointain des rois qui étaient très bons ont vu une étoile qui glissait, accrochée au ciel. Ils l'ont suivie.

LILBÉ. — Qui étaient ces rois?

FIDIO. — C'étaient Melchior, Gaspard et Balthazar.

LILBÉ. — Ceux qui mettent les jouets dans les souliers?

FIDIO. — Oui. *(Un temps)*. Et les voilà qui suivaient l'étoile et qui la suivaient ; enfin, ils sont arrivés un jour à la crèche de Bethléem. Alors ils ont offert à l'enfant tout ce qu'ils portaient sur leurs chameaux : beaucoup de jouets et de bonbons et aussi du chocolat. *(Un temps. Ils sourient avec enthousiasme.)* Ah, j'oubliais, ils lui ont offert aussi de l'or, de la myrrhe et de l'encens.

LILBÉ. — Que de choses!

FIDIO. — Alors l'enfant a été très content et ses parents aussi et la vache et l'âne.

LILBÉ. — Et ensuite qu'est-il arrivé?

FIDIO. — Ensuite l'enfant a aidé son père qui était charpentier à faire des tables et des chaises. Comme il était très sage sa maman l'embrassait souvent.

LILBÉ. — Un enfant pas comme les autres.

FIDIO. — Il était Dieu.

LILBÉ. — Oui, c'est vrai...

FIDIO. — Ce qui était bien c'est qu'alors il ne faisait aucun miracle pour manger mieux ou s'acheter des habits chers.

LILBÉ. — Et qu'est-il arrivé?

FIDIO. — Ensuite, il s'est fait homme, et ils l'ont tué :

ils l'ont crucifié, avec des clous aux mains et aux pieds. Tu te rends compte?

LILBÉ, *contente.* — Ça devait faire très mal?

FIDIO. — Oui, beaucoup.

LILBÉ. — Il devait beaucoup pleurer?

FIDIO. — Non, pas du tout. Il se retenait. D'ailleurs pour mieux se moquer de lui ils l'ont mis entre deux larrons.

LILBÉ. — Des larrons mauvais ou sympathiques?

FIDIO. — Des mauvais, des pires, les deux plus mauvais qu'ils ont pu trouver.

LILBÉ. — Ça c'est mal !

FIDIO. — Ah! et puis ne voilà-t-il pas qu'un des deux larrons était plutôt un imposteur! Un individu qui trompait son monde.

LILBÉ. — Qui trompait son monde?

FIDIO. — Oui, il avait fait croire qu'il était méchant et tout à coup on s'aperçoit qu'il était bon.

LILBÉ. — Et que s'est-il passé?

FIDIO. — Eh bien Dieu est mort sur la croix.

LILBÉ. — Oui?

FIDIO. — Oui. Mais il a ressuscité le troisième jour.

LILBÉ, *contente.* — Ah!

FIDIO. — Et tous se sont rendu compte alors qu'il disait vrai.

LILBÉ, *enthousiaste.* — Je veux être bonne.

FIDIO. — Moi aussi.

LILBÉ. — Tout de suite.

FIDIO. — Oui, tout de suite.

LILBÉ. — Je veux être comme l'enfant qui est né dans la crèche.

FIDIO. — Moi aussi.

Fidio prend les mains de Lilbé dans les siennes.

LILBÉ, *inquiète.* — Et comment passerons-nous le temps?

FIDIO. — A faire des bonnes actions.

LILBÉ. — Tout le temps?

FIDIO. — Enfin, presque tout le temps.

LILBÉ. — Et les autres jours?
FIDIO. — On peut aller au zoo.
LILBÉ. — Pour voir les choses du singe?
FIDIO. — Non. *(Un temps.)* Pour voir les poules et les pigeons.
LILBÉ. — Et qu'est-ce qu'on peut faire d'autre?
FIDIO. — On jouera de l'ocarina.
LILBÉ. — Le l'ocarina?
FIDIO. — Oui.
LILBÉ. — Bon. *(Un temps.)* Ce n'est pas mal?
FIDIO *réfléchit.* — Non. Je ne crois pas.
LILBÉ. — Et comment ferons-nous pour être vraiment bons?
FIDIO. — Tu vas comprendre. Si on voit que quelque chose gêne quelqu'un, on ne le fera pas. Si on voit que quelque chose ferait plaisir à quelqu'un, on le fait. Si on voit qu'un pauvre vieux paralysé n'a personne, eh bien on va lui rendre visite.
LILBÉ. — On ne le tue pas?
FIDIO. — Non.
LILBÉ. — Pauvre vieux !
FIDIO. — Mais tu ne comprends pas qu'on ne peut plus tuer.
LILBÉ. — Ah! Continue.
FIDIO. — Si on voit qu'une femme porte une lourde charge, on l'aide. *(Voix de juge.)* Si on voit que quelqu'un commet une injustice, on la répare.
LILBÉ. — Les injustices aussi?
FIDIO. — Oui, aussi.
LILBÉ, *satisfaite.* — On va être des gens importants.
FIDIO. — Oui, très.
LILBÉ, *inquiète.* — Et comment saurons-nous si c'est une injustice?
FIDIO. — On verra ça au jugé.

Silence.

LILBÉ. — Ça va être ennuyeux.

Silence. Fidio est découragé.

LILBÉ. — Ça va être comme le reste.

Silence.

LILBÉ. — On va s'en lasser aussi.

Silence.

FIDIO. — On essaiera.

Au loin on entend « Black and Blue » de Louis Amstrong.

RIDEAU

Sanatorium de Bouffemont, janvier 1957.

Les Deux Bourreaux

Mélodrame en un acte

PERSONNAGES

LES DEUX BOURREAUX (j'ignore leur nom).
LA MERE (FRANÇOISE).
LES DEUX FILS (BENOIT et MAURICE).
LE MARI (JEAN)

La pièce se déroule dans une salle très obscure. A gauche, la porte qui s'ouvre sur la rue. Au fond, la porte qui donne sur un cachot. Murs nus. Au centre de la pièce, une table et trois chaises.

Il fait nuit. Les deux bourreaux sont assis sur les chaises. Ils sont seuls. On frappe à la porte de la rue avec insistance. On dirait vraiment que les bourreaux n'entendent rien. La porte s'ouvre lentement, non sans grincer. Une tête de femme apparaît. La femme examine la pièce. Elle se décide à pénétrer dans la salle et s'approche des bourreaux.

FRANÇOISE. — Bonjour, messieurs... Excusez-moi... Je vous dérange? *(Les bourreaux ne bougent toujours pas comme si la chose ne les concernait pas.)* Si je vous dérange, je m'en vais... *(Silence. On dirait que la femme veut reprendre des forces. Enfin, elle se décide. Elle parle précipitamment.)* Je suis venue vous chercher parce que je n'y tiens plus. Il s'agit de mon mari *(pathétiquement)*, l'être en qui j'ai mis toute ma confiance, l'homme à qui j'ai donné toute ma jeunesse et que j'ai aimé comme jamais je n'aurais cru que je pouvais aimer. *(Baissant le ton, avec plus de calme.)* Il est coupable. Je dois le reconnaître.

Tout à coup les bourreaux s'intéressent aux paroles de la femme. L'un d'eux tire de sa poche un crayon et un cahier.

Oui, il est coupable. Il habite huit, rue des Laboureurs, et il s'appelle Jean Aznar.

Le bourreau en prend note. Aussitôt, les deux bourreaux sortent par la porte de la rue. On entend s'éloigner une auto. Françoise sort aussi par la porte de la rue.

VOIX DE FRANÇOISE. — Entrez mes enfants, entrez.

VOIX DE BENOIT. — Il fait très noir ici.

VOIX DE FRANÇOISE. — Oui, la pièce est très sombre. J'ai peur aussi, mais nous devons entrer. Il faut que nous attendions petit père.

Entrent Françoise et ses deux fils, Benoît et Maurice.

FRANÇOISE. — Asseyez-vous, mes enfants. Ne craignez rien.

Tous trois s'assoient autour de la table.

FRANÇOISE, *elle parle toujours sur un ton geignard.* — Quels tristes et dramatiques moments vivons-nous! Quels péchés avons-nous commis pour que la vie nous punisse si cruellement?

BENOIT. — Ne te fais pas de souci, maman. Ne pleure pas.

FRANÇOISE. — Non, mon fils, je ne pleure pas, je ne pleurerai pas, je tiendrai tête à l'adversité qui nous assaille de toutes parts. Comme je te sais gré d'être attentif à tout ce qui me concerne! Mais vois plutôt ton frère Maurice : toujours aussi dénaturé. *(Maurice, l'air sombre, regarde, délibérément semble-t-il, dans la direction opposée à l'endroit où se trouve sa mère.)* Regarde-le, aujourd'hui où plus que jamais j'ai besoin de votre soutien; il se tourne contre moi et m'accable de son mépris. Quel mal t'ai-je fait, fils indigne? Parle, dis-moi quelque chose.

BENOIT. — Ne fais pas attention à lui, maman, il ignore la reconnaissance que l'on doit à une mère.

FRANÇOISE, *s'adressant à Maurice.* — Est-ce que tu n'entends pas ton frère? Écoute-le. Si l'on m'avait dit à moi une chose pareille, j'en serais morte de honte. Mais toi, tu n'as pas honte. Grand Dieu! Quel calvaire!

BENOIT. — Maman, ne t'échauffe pas, ne t'afflige pas pour lui, il n'en vaut pas la peine. Quoi que tu fasses il ne sera jamais d'accord avec toi.

FRANÇOISE. — Oui, mon fils, tu ne t'en rends pas bien compte. Quand ce n'est pas à cause de ton père, c'est à cause de Maurice : toujours des souffrances. Moi qui ai toujours été leur esclave. Vois combien de femmes de mon âge mènent joyeuse vie, se divertissent nuit et jour au bal, au cabaret, au cinéma! Combien de femmes! tu ne t'en rends pas bien compte, tu es encore trop jeune. J'aurais pu en faire autant, mais j'ai préféré me sacrifier pour mon mari et pour vous, silencieusement, humblement, sans rien en attendre, en sachant même qu'un jour, les êtres qui m'ont été les plus chers me diraient ce que me dit aujourd'hui ton frère, que je n'en ai pas assez fait. Tu vois, mon fils, comme ils répondent à mes sacrifices? Tu le vois, en me rendant toujours le mal pour le bien, toujours.

BENOIT. — Comme tu es bonne! Comme tu es bonne!

FRANÇOISE. — Et qu'est-ce que je gagne à le savoir? Cela revient au même. Tout revient au même. Je n'ai plus de goût à rien, tout m'est égal, rien n'a plus d'importance pour moi. Je veux être bonne et me sacrifier toujours pour vous, sans rien attendre en échange, en sachant même que les êtres qui me sont le plus proches, ceux qui devraient m'être reconnaissants de mes inquiétudes ignorent délibérément mes renoncements. J'ai été toute ma vie une martyre à cause de vous et je serai martyre jusqu'à ce que Dieu veuille me rappeler à lui.

BENOIT. — Maman chérie!

FRANÇOISE. — Oui, mon fils, je ne vis que pour vous. Puis-je avoir dans la vie d'autres préoccupations? Le luxe, les toilettes, les soirées, le théâtre, rien de tout cela ne compte pour moi, je n'ai qu'un seul souci : vous. Que m'importe le reste?

BENOIT, *à Maurice.* — Maurice, entends-tu ce que dit Maman?

FRANÇOISE. — Laisse-le, mon enfant. Crois-tu que je puisse espérer qu'il sache m'être reconnaissant de mes sacrifices? Non. Je n'attends rien de lui. Je sais même qu'il doit penser que je n'en ai pas fait assez.

BENOIT, *à Maurice.* — Tu es une canaille.

FRANÇOISE, *excitée.* — Ne me fais pas souffrir, Benoît, ne lui adressons pas de reproches. Je veux que nous vivions tous en paix, dans l'ordre. Surtout je ne veux pas qu'entre frères, vous vous disputiez.

BENOIT. — Comme tu es bonne, maman!... et bonne avec lui qui ne vaut rien. Si ce n'était pas toi qui me demandais de l'épargner, je ne sais pas ce que je lui ferais. *(A Maurice d'un ton agressif.)* Tu peux dire merci à maman, Maurice, car tu mérites une bonne correction.

FRANÇOISE. — Non, mon enfant, non, ne le bats pas. Je ne veux pas que tu le battes même s'il le mérite grandement. Je veux que la paix et l'amour règnent parmi nous. C'est la seule chose que je te demande, Benoît.

BENOIT. — Tranquillise-toi, je ferai ce que tu voudras.

FRANÇOISE. — Merci, mon fils. Tu es un vrai baume pour les plaies que la vie m'a faites. Vois-tu, Dieu, enfin, dans sa très grande bonté, m'a accordé un fils comme toi qui panse les blessures dont souffre mon pauvre cœur, apaise les douleurs que me causent, à ma grande tristesse, les êtres pour lesquels j'ai le plus lutté : mon mari et Maurice.

BENOIT, *en colère.* — Personne ne te fera plus souffrir, désormais.

FRANÇOISE. — Ne te fâche pas, mon fils, ne soit pas contrarié. Ils se sont mal conduits, et ils le savent bien. Ce que nous devons faire, c'est leur pardonner, et ne pas leur en garder rancune. D'ailleurs, bien que ton père soit fautif, et même très fautif, tu n'en dois pas moins le respecter.

BENOIT. — Le respecter, lui?

FRANÇOISE. — Oui, mon fils. Ne tiens pas compte de tous les malheurs dont il est la source. C'est moi qui devrais lui refuser mon pardon, et, vois-tu, mon fils, je lui pardonne. Même s'il me fait souffrir plus que je n'ai encore souffert, si c'est possible, je continuerai à l'attendre les bras ouverts et je saurai lui pardonner ses innombrables fautes. La vie m'a appris à souffrir, depuis le jour de ma naissance. Mais je porte cette croix avec dignité, par amour de vous.

BENOIT. — Maman, comme tu es bonne!

FRANÇOISE, *sur un ton encore plus humble.* — J'essaie, Benoît, d'être bonne.

BENOIT, *interrompant sa mère, dans un élan d'affection spontané.* — Maman, tu es la meilleure femme du monde.

FRANÇOISE, *humble et honteuse.* — Non, mon fils, je ne suis pas la meilleure femme du monde, je ne peux prétendre à une telle gloire, je suis trop peu de chose. D'autre part, j'ai probablement commis quelques fautes. Malgré beaucoup de bonne volonté, mais enfin, ce qui compte c'est que j'aie commis quelques fautes.

BENOIT, *d'un ton convaincu.* — Non, maman, jamais.

FRANÇOISE. — Si, mon enfant, quelquefois. Mais je peux dire avec joie que je n'en suis toujours repentie, toujours.

BENOIT. — Tu es une sainte.

FRANÇOISE. — Tais-toi! Que pourrais-je rêver de plus beau que la sainteté! Je ne peux pas être une sainte. Pour être une sainte, il faut être quelqu'un de très grand et moi, je ne vaux rien. J'essaie seulement d'être bonne, sans plus de prétentions.

La porte de la rue s'ouvre. Entrent les deux bourreaux portant le mari de Françoise, Jean, pieds et poings liés et suspendu à un gros bâton, à peu près de la façon dont on transporte les lions ou les tigres capturés en Afrique. Jean est bâillonné; en entrant dans la pièce, il lève la tête et regarde sa femme, Françoise, en ouvrant tout grands les yeux et peut-être avec quelque colère. Françoise examine attentivement, avidement son mari. Maurice voit passer le cortège avec une violente indignation. Les deux bourreaux, sans s'arrêter, traversent la pièce et transportent Jean de la porte de la rue jusqu'au cachot. Ils disparaissent tous trois.

MAURICE, *avec une grande indignation, s'adressant à sa mère.* — Qu'est-ce que c'est? Dis-moi, qu'est-ce que ce nouveau forfait?

BENOIT, *à Maurice.* — Ne parle pas à maman sur ce ton.

FRANÇOISE. — Laisse-le, mon enfant, laisse-le m'insulter. Laisse-le me faire des reproches. Laisse-le traiter sa mère comme un ennemi. Laisse-le, mon enfant. Laisse-le, Dieu punira cette mauvaise action.

MAURICE. — C'en est trop. *(Avec colère, à sa mère.)* C'est toi qui l'as dénoncé.

BENOIT, *prêt à se jeter sur son frère.* — Je t'ai déjà dit de parler poliment à maman. Comprends-tu? Poliment! Est-ce que tu entends?

FRANÇOISE. — Calme-toi, mon fils, calme-toi, laisse-le me traiter grossièrement. Tu sais bien qu'il ne se plaît qu'à me faire du chagrin, donne-lui cette satisfaction. C'est mon rôle : me sacrifier pour lui et pour vous ; vous donner tout ce que vous voulez.

BENOIT. — Je ne permettrai pas qu'il crie en s'adressant à toi.

FRANÇOISE. — Obéis-moi, mon fils, obéis-moi.

BENOIT. — Je ne t'obéirai pas. Tu es trop bonne et il en profite.

Maurice est abattu.

FRANÇOISE. — Mon enfant, toi aussi, tu veux me faire souffrir ? S'il est méchant avec moi, qu'il soit méchant, il fallait s'y attendre, mais toi, mon fils, toi tu es différent ; c'est toujours ce que j'ai pensé, du moins. Laisse-le me torturer si cela réjouit son mauvais cœur.

(Un temps.)

BENOIT. — Non, jamais, du moins, en ma présence.

On entend des coups de fouet puis des plaintes étouffées par le bâillon. C'est Jean ; sans doute les bourreaux sont en train de le flageller dans le cachot. Françoise et Maurice se redressent et se dirigent vers la porte du cachot. La mère écoute avidement, les yeux écarquillés, le visage grimaçant (presque souriant ?), hystérique. Les coups de fouet redoublent pendant un long moment. Jean se plaint avec une dignité virile. Enfin les coups et les plaintes cessent.

MAURICE, *rageur et au bord des larmes, dit à sa mère.* — C'est ta faute si l'on torture papa. C'est toi qui l'as dénoncé.

BENOIT. — Tais-toi ! *(Violemment.)* Ne te tourmente pas, maman.

FRANÇOISE. — Laisse-le, laisse-le, Benoît. Laisse-le m'insulter. Je sais très bien que si tu n'étais pas là, il me battrait. Mais c'est un lâche et il a peur de toi, c'est tout ce qui l'arrête car il est très capable de lever la main sur sa mère, je le lis dans ses yeux. Il a toujours essayé.

Gémissement aigu de Jean. Silence. Françoise fait une grimace qui est presque un sourire. Silence.

FRANÇOISE. — Allons voir ce pauvre petit père. Allons voir comme il souffre, le pauvre. Car sans aucun doute, ils ont dû lui faire beaucoup de mal.

Grimaces de Françoise. Silence. Françoise s'approche du cachot, entrouve la porte et examine l'intérieur sans franchir le seuil.

FRANÇOISE, *elle s'adresse à Jean, son mari, qui est dans le cachot et que, par conséquent, on ne peut voir.* — Jean, ces bourreaux ont dû te faire beaucoup de mal. Pauvre Jean! Comme tu as dû souffrir et comme ils vont encore te faire souffrir. Mon pauvre Jean!

Jean, bien que gêné par le bâillon, pousse un cri de colère.

FRANÇOISE. — Ne te mets pas dans cet état. Il vaut mieux que tu prennes patience. Pense que tu es seulement au commencement de tes peines. Tu ne peux rien faire en ce moment, tu es attaché et ton dos est plein de sang. Tu ne peux rien faire. Calme-toi! D'ailleurs, tout ceci te fera grand bien, cela t'apprendra à avoir de la volonté, tu en as toujours manqué.

Françoise se décide à franchir le seuil, elle entre dans le cachot (elle quitte donc la scène).

VOIX DE FRANÇOISE, *elle parle comme si elle était à*

l'église, mais tout haut. — C'est moi qui t'ai dénoncé, Jean. C'est moi qui ai dit que tu étais coupable.

Jean veut parler, mais gêné par le bâillon, il n'émet que des sons. On entend le rire anormal de Françoise. Maurice est très excité. Françoise reparaît.

FRANÇOISE, *à ses fils.* — Le pauvre souffre beaucoup, il n'a pas de patience, il n'en a jamais eu.

Plainte de Jean.

MAURICE. — Laisse papa. Ne continue pas. Ne vois-tu pas que tu le tourmentes?

FRANÇOISE. — C'est lui qui se tourmente, lui seul, sans motif. *(Elle parle de nouveau à son mari à travers la porte.)* Je vois bien que c'est toi qui te tourmentes tout seul. Je vois bien que mes paroles t'irritent. *(Pause-sourire.)* Qui peut prêter plus d'attention que moi à ton malheur? Je serai à tes côtés chaque fois que tu souffriras. Tu es coupable et ton devoir c'est d'accepter avec patience ton châtiment bien mérité. Tu doits même remercier les bourreaux qui te traitent avec tant d'égards. Si tu étais un homme normal, humble et juste, tu les remercierais, mais tu as toujours été un révolté. Ne va pas t'imaginer à présent que tu es à la maison où tu faisais tes quatre volontés, maintenant, tu es au pouvoir des bourreaux. Accepte le châtiment sans rébellion. C'est ta purification. Repends-toi de tes fautes et promets que tu ne retomberas pas dans l'erreur. Et ne te tourmente pas en pensant que je me réjouis de te voir puni.

Long gémissement de Jean.

MAURICE. — Est-ce que tu n'entends pas ses plaintes? Ne vois-tu pas que tu le tortures? Laisse-le en paix!

BENOIT. — Je t'ai déjà dit de ne pas parler à maman sur ce ton.

FRANÇOISE. — Qu'il me parle comme il veut, mon fils. J'y suis habituée. C'est mon lot : me faire du souci pour eux, pour lui et pour papa, qui ne le méritent pas, et que personne ne m'en remercie.

Plaintes de Jean.

MAURICE. — Papa! Papa! *(Au bord des larmes.)* Papa!

FRANÇOISE. — Il se plaint toujours. C'est signe qu'il souffre des blessures que lui font les coups de fouet et les cordes qui lui lient les pieds et mains. *(Elle ouvre le tiroir de la table et fouille à l'intérieur. Ensuite, elle pose sur la table un flacon de vinaigre et une salière qu'elle a trouvés.)* Voilà mon affaire. Je lui mettrai du vinaigre et du sel sur les plaies pour les désinfecter. Un peu de vinaigre et de sel sur ses blessures feront merveille! *(Avec un enthousiasme hystérique.)* Un peu de sel et de vinaigre! Un tout petit peu seulement sur chaque plaie, voilà ce qu'il lui faut.

MAURICE, *en colère.* — Ne fais pas ça.

FRANÇOISE. — C'est ainsi que tu aimes ton père? Toi qui es sont fils préféré, c'est ainsi que tu le traites. Toi, justement toi, mauvais fils! Toi qui sais bien que les bourreaux le battront jusqu'à ce que mort s'ensuive, c'est maintenant que tu l'abandonnes et que tu ne me laisses même pas panser ses blessures.

Françoise se dirige vers le cachot, le vinaigre et le sel à la main.

MAURICE. — Ne lui mets pas de sel! S'ils le tuent dc toute façon, laisse-le tranquille au moins, n'aggrave pas ses peines.

FRANÇOISE. — Toi, mon fils, tu es encore très jeune, tu ne sais rien de la vie, tu n'a pas d'expérience. Que serais-tu devenu sans moi ? La vie a toujours été très facile pour toi. J'ai tout fait à ta place. Tu es habitué à ce que ta mère te donne ce que tu désires. Souviens-toi bien de mes paroles. Ce sont celles d'une mère et une mère ne vit que pour ses enfants. Respecte la tienne, respecte-la, ne serait-ce que pour les cheveux blancs qui ornent son front. Pense qu'elle fait tout pour toi par affection. Quand as-tu vu, mon fils, que ta mère fasse quelque chose pour elle ? Je n'ai pensé qu'à vous. D'abord, mes enfants ; ensuite, mon mari. Moi je ne compte pour personne et encore moins pour moi. Voilà pourquoi, mon fils, à présent que je vais soigner les plaies de ton père, tu ne dois pas me barrer la route. D'autres baiseraient le sol que je foule aux pieds. Je ne t'en demande pas tant, je souhaite seulement que tu saches me remercier de mes efforts *(pause)*.

Françoise se dirige vers le cachot avec le sel et le vinaigre.

FRANÇOISE. — Je vais mettre au pauvre petit père un peu de sel et de vinaigre sur ses blessures.

Maurice saisit brutalement sa mère par le bras et lui interdit l'entrée du cachot.

BENOIT. — Ne prends pas maman par le bras.

FRANÇOISE. — Laisse-le me battre. C'est ce qu'il a toujours cherché. Vois comme il a laissé la marque de ses doigts sur mon pauvre bras. Voilà ce qu'il cherchait : me frapper.

BENOIT, *très en colère.* — Comment as-tu osé battre maman ?

Benoît essaie de frapper son frère. Françoise s'interpose avec violence entre ses fils pour qu'ils ne se battent pas.

FRANÇOISE. — Non, mon fils, en ma présence, non. La famille est une chose sacrée. Je ne veux pas que mes fils se battent. *(Benoît se contient difficilement.)* Il peut m'écorcher vive s'il veut, mais je t'en prie, mon enfant, ne le frappe pas en ma présence. Je ne veux pas qu'en ma présence il y ait des disputes entre frères. Il m'a battue, mais je lui pardonne.

Longue plainte du mari.

FRANÇOISE. — Il souffre... ils le font souffrir... Il souffre beaucoup. Il faut que je lui mette du vinaigre au plus vite. Tout de suite.

Françoise entre dans le cachot.

VOIX DE FRANÇOISE. — Un petit peu de sel et de vinaigre te feront beaucoup de bien. Ne bouge pas, je n'en ai pas beaucoup. Là, voilà.

Gémissement de Jean.

C'est ça, là, là, un petit peu de sel maintenant.

Cri de colère de Jean.

MAURICE, *crie.* — « Papa! » *et il pleure.*
VOIX DE FRANÇOISE. — C'est ça, un petit peu plus, là,

un petit peu plus, ne bouge pas. *(Françoise parle haletante.)* Ne bouge pas. Là. Encore un petit peu.

Gémissement de Jean.

VOIX DE FRANÇOISE. — C'est ça, encore un petit peu, là, là, ça te fera du bien. *(Plainte de Jean.)* Pour finir, voilà. *(Plainte de Jean.)* Il ne m'en reste plus!

Long silence. Plainte de Jean, silence.

VOIX DE FRANÇOISE. — Voyons, voyons. Comment sont tes plaies ? Je vais les toucher pour voir comment elles sont.

Forte plainte de Jean. Maurice, trompant la vigilance de son frère, entre dans la salle.

VOIX DE MAURICE. — Que fais-tu? Tu griffes ses blessures!

Maurice fait sortir sa mère du cachot en la poussant. Benoît se jette sur son frère pour le frapper. La mère s'interpose et sépare les frères.

FRANÇOISE. — Non, mon fils, non. *(A Benoît.)* Hélas! c'est à moi que tu fais mal. Non, ne bats pas ton frère. Je ne veux pas que tu le battes.

Benoît se calme.

BENOIT. — Je ne vais pas tolérer qu'il te fasse du mal.

FRANÇOISE. — Si, laisse-le me faire du mal. Laisse-le cela lui plaît. C'est ce qu'il veut. Laisse-le. Il veut que je pleure à cause de ses coups. Mon fils, ton frère, est ainsi fait. Quel martyre! Quel calvaire! Pourquoi, mon Dieu, ai-je le malheur d'avoir un fils qui ne m'aime pas et qui ne cherche qu'un instant de faiblesse de ma part pour me battre et me tourmenter?

BENOIT, *furieux*. — Maurice!

FRANÇOISE. — Mon fils, calme-toi. *(Abattue.)* Quel calvaire! Quelle croix, mon Dieu! Pourquoi me punir ainsi, mon Dieu? Qu'ai-je fait pour m'attirer un tel châtiment? Ne vous disputez pas, mes enfants, faites-le pour votre pauvre mère qui ne cesse de souffrir, faites-le pour ses cheveux blancs. *(A Benoît.)* Et s'il ne veut pas prendre en pitié mes peines, toi, au moins, Benoît, aie pitié de moi. Ou est-ce que, toi non plus, tu ne m'aimes pas? *(Benoît, ému, veut dire quelque chose. Sa mère ne le laisse pas parler et poursuit.)* Oui, c'est cela, tu ne m'aimes pas non plus.

BENOIT, *au bord des larmes*. — Si, maman, moi, je t'aime.

FRANÇOISE. — Alors, pourquoi ajouter de nouvelles épines à cette couronne de douleurs que je porte?

BENOIT. — Maman!

FRANÇOISE. — Est-ce que tu ne vois pas ma douleur? Est-ce que tu ne vois pas mon immense douleur de mère?

BENOIT, *pleurant presque*. — Si.

FRANÇOISE. — Merci, mon fils, tu es mon bâton de vieillesse. Tu es l'unique consolation que Dieu m'ait donnée en cette vie.

On entend à nouveau les bourreaux fouetter Jean. Le mari sanglote. Tous trois (Françoise et ses fils) écoutent en silence.

FRANÇOISE. — Ils le fouettent encore... Et ils doivent lui faire beaucoup de mal... *(Françoise parle en haletant.)*... Il pleure! Il pleure... Il gémit, n'est-ce pas?... *(Personne ne lui rèpond.)*... Oui, oui, il gémit, il gémit. Je l'entends parfaitement.

Coups de fouet et gémissements. Jean, tout à coup, pousse un cri plus aigu. Les bourreaux continuent à frapper, Jean ne gémit plus. Françoise va à la porte et regarde à l'intérieur du cachot.

FRANÇOISE. — Ils l'ont tué! Ils l'ont tué!

Silence absolu. Maurice s'assoit, appuie sa tête sur la table. Il pleure peut-être. Silence. Longue pause. Entrent les deux bourreaux avec Jean attaché comme la première fois. Jean est mort. Sa tête pend, inerte.

FRANÇOISE, *aux bourreaux.* — Laissez-moi le voir. Laissez-moi le voir comme il faut, à présent qu'il est mort.

Les bourreaux, sans prêter attention à Françoise, traversent la salle et sortent pas la porte de la rue. Françoise et Benoît s'assoient de chaque côté de Maurice. Ils le regardent. Silence.

MAURICE, *à Françoise.* — Ils ont tué papa à cause de toi.
FRANÇOISE. — Comment oses-tu dire cela à ta mère? A ta mère qui s'est toujours saignée pour toi?
MAURICE, *l'interrompant.* — Ne me raconte pas tes rengaines. Ce dont je t'accuse, c'est d'avoir dénoncé papa.

Benoît, abattu, n'intervient pas.

FRANÇOISE. — Oui, mon fils, comme tu voudrais. Si cela te fait plaisir, je dirai que c'est ma faute. C'est ce que tu veux ?

MAURICE. — Assez de discours entortillés. *(Pause, long silence.)* Pourquoi as-tu traité papa de cette façon, papa à qui tu ne peux faire aucun reproche ?

FRANÇOISE. — C'est ça. Je m'y étais toujours attendue, toute ma vie. Après que ton père a compromis l'avenir de ses enfants et de sa femme parce qu'il...

MAURICE, *l'interrompant.* — Qu'est-ce que cette histoire d'avenir compromis ? Qu'est-ce que cette nouvelle invention ?

FRANÇOISE. — Ah ! mon fils ! Quelle douleur ! Quel calvaire ! *(Pause.)* Bien sûr qu'il a compromis l'avenir de ses enfants par ses faiblesses. Il savait bien que s'il continuait dans cette voie, il finirait tôt ou tard comme il a fini. Il le savait bien, mais il n'a pas changé, il a poursuivi, vaille que vaille, son coupable chemin. Combien de fois le lui ai-je répété ! Combien de fois lui ai-je dit : tu vas me laisser veuve et tes fils orphelins. Mais qu'a-t-il fait ? Il a négligé mes conseils et il a persisté dans ses erreurs.

MAURICE. — Tu es la seule à dire qu'il était coupable.

FRANÇOISE. — Oui, bien sûr, maintenant, non content de m'avoir insultée pendant toute la nuit, tu vas me taxer de mensonge et tu vas affirmer que je suscite de faux témoignages. Voilà comme tu traites une mère qui, depuis ta naissance, t'a prodigué tous ses soins et consacré toute son attention. Tandis que votre père compromettait allégrement votre avenir, j'ai veillé sur toi, et je n'ai eu qu'un but, te rendre heureux, te donner tout le bonheur que je n'ai pas connu. Parce que, pour moi, la seule chose qui compte, c'est que ton frère et toi vous soyez satisfaits, tout le reste n'a aucune importance. Je suis une pauvre femme ignorante et sans instruction qui ne désire que le bien de ses enfants, coûte que coûte.

BENOIT, *conciliant.* — Maurice, les lamentations sont inutiles maintenant, papa est mort, on ne peut plus rien y faire.

FRANÇOISE. — Benoît a raison.

Long silence.

MAURICE. — On aurait pu éviter la mort de papa.

FRANÇOISE. — Comment? Est-ce ma faute? Non. C'est lui le coupable, lui-même, ton père. Que pouvais-je faire? Que pouvais-je faire contre lui? Il s'est obstiné : je ne suis qu'une pauvre femme sans aucune culture et presque sans instruction, j'ai passé toute ma vie à m'inquiéter pour les autres, en m'oubliant moi-même. Pour moi, c'est vous qui comptez. Quand m'as-tu vu acheter une jolie toilette ou aller au cinéma ou aux premières théâtrales qui me plaisaient tant? Non, je n'en ai rien fait, malgré tout le plaisir que j'en aurais tiré, et tout cela, uniquement parce que j'ai préféré me consacrer à vous corps et âme. Je ne vous demande qu'une chose : que vous ne soyez pas ingrats et que vous sachiez apprécier le sacrifice d'une mère comme celle que vous avez eu la chance d'avoir.

BENOIT. — Oui, maman, moi j'apprécie tout ce que tu as fait pour nous.

FRANÇOISE. — Oui, toi, je sais bien, mais ton frère, non. Pour ton frère c'est encore trop peu. Ce n'est pas suffisant pour ton frère. Comme nous pourrions être heureux, si nous étions tous unis, tous d'accord!

BENOIT. — Maurice, oui, nous devrions mutuellement nous comprendre et vivre en paix tous les trois. Maman est très bonne, je sais qu'elle t'aime beaucoup et qu'elle te donnera tout ce dont tu auras besoin. Même si ce n'est que par égoïsme, reviens à nous. Nous vivrons tous les trois heureux et dans la joie en nous aimant.

MAURICE. — Mais... *(Pause.)* Papa...

BENOIT. — C'est déjà passé. Ne regarde pas en arrière. Ce qui importe, c'est l'avenir. Ce serait trop bête de s'en tenir au passé. Tu n'auras que des satisfactions avec maman. Tout ce qui est à elle t'est destiné. N'est-ce pas, maman?

FRANÇOISE. — Oui, mon fils, tout ce qui est à moi sera à lui. *(Héroïquement.)* Je lui pardonne.

BENOIT. — Tu vois comme elle est bonne : elle te pardonne même.

FRANÇOISE. — Oui, je te pardonne et j'oublierai toutes tes insultes.

BENOIT. — Elle oubliera tout! *(Joyeux.)* Voilà l'important. Ainsi nous vivrons sans rancune tous les trois ensemble ; maman, toi et moi. Quoi de plus beau ?

MAURICE, *à demi convaincu.* — Oui, mais...

BENOIT, *l'interrompant.* — Ne sois pas rancunier. Imite maman. Elle qui a ses raisons d'être fâchée contre toi a promis de tout oublier. Nous serons heureux, si tu veux être gentil.

Maurice baisse la tête, ému. Long silence. Benoît pose son bras sur l'épaule de son frère.

BENOIT. — Embrasse maman.

Silence.

BENOIT. — Embrasse-la, sans rancune.

Maurice s'approche de sa mère et l'embrasse.

FRANÇOISE. — Mon fils!

BENOIT, *à Maurice.* — Demande pardon à maman.

MAURICE, *pleurant presque.* — Pardonne-moi, maman.

Maurice et Françoise s'étreignent. Benoît se joint à eux et tous trois restent enlacés tandis que tombe le

RIDEAU

Hôpital Foch, Suresnes, 1956.

Fando et Lis

PERSONNAGES

LIS, la femme à la voiture d'enfant.

FANDO, l'homme qui la mène à Tar, et les trois hommes au parapluie :

NAMUR,

MITARO,

TOSO.

La pièce a cinq tableaux.

PREMIER TABLEAU

Fando et Lis sont assis par terre. Auprès d'eux se trouve une très grande voiture d'enfant, noire, vieille et écaillée, avec des roues de caoutchouc épais et des rayons rouillés. A l'extérieur, attachés avec des ficelles, on peut voir un certain nombre d'objets parmi lesquels un tambour, une couverture roulée, une canne à pêche, un ballon en cuir et un poêlon. Lis a les deux jambes paralysées.

LIS. — Mais je mourrai et personne ne se souviendra de moi.

FANDO, *très tendrement.* — Si Lis, moi je me souviendrai de toi et j'irai te voir au cimetière avec une fleur et un chien.

Longue pause. Fando regarde Lis.

FANDO, *ému.* — Et à ton enterrement je chanterai à voix basse le refrain « que c'est joli un enterrement, que c'est joli un enterrement », dont l'air est si facile à retenir. *(Il la regarde silencieusement et il ajoute d'un ton satisfait :)* Je le ferai pour toi.

LIS. — Tu m'aimes beaucoup.

FANDO. — Mais je préfère que tu ne meures pas. (*Pause.*) Ça me rendra tout triste le jour où tu mourras.

LIS. — Ça te rendra tout triste? Pourquoi?

FANDO, *désolé.* — Je ne sais pas.

LIS. — Tu me dis ça seulement parce que tu l'as entendu dire. C'est signe que tu ne seras pas triste. Tu me trompes toujours.

FANDO. — Non, Lis, je te dis vrai : ça me rendra très triste.

LIS. — Tu pleureras?

FANDO. — Je ferai un effort, mais je ne sais pas si je pourrai.

LIS. — Je ne sais pas si je pourrai! Je ne sais pas si je pourrai! Crois-tu que c'est une réponse?

FANDO. — Crois-moi, Lis.

LIS. — Mais croire quoi?

FANDO, *réfléchissant.* — Je ne sais pas au juste ; dis-moi seulement que tu me crois.

LIS, *comme un automate.* — Je te crois.

FANDO. — Sur ce ton-là, ça ne va pas.

LIS, *gaiement.* — Je te crois.

FANDO. — Comme ça non plus, ça ne va pas. Lis. (*Humblement.*) Lis, quand tu veux, tu sais bien dire les choses.

LIS, *sur un autre ton, aussi peu sincère.* — Je te crois.

FANDO, *découragé.* — Non, Lis, non. Ce n'est pas comme ça. Essaie encore une fois.

LIS *fait un effort, mais ses paroles ne semblent pas plus sincères qu'auparavant.* — Je te crois.

FANDO, *très triste.* — Non, non, Lis. Comme tu es, comme tu fais la méchante avec moi! Essaie, mais bien.

LIS, *sans y parvenir.* — Je te crois.

FANDO, *avec violence.* — Non, non, ce n'est pas ça.

LIS *fait un effort désespéré.* — Je te crois.

FANDO, *encore plus violent.* — Pas comme ça non plus!

LIS, *pleine de sincérité.* — Je te crois.

FANDO, *ému.* — Lis! Tu me crois?

LIS, *émue elle aussi.* — Oui, je te crois.

FANDO. — Comme je suis heureux, Lis!

LIS — Je te crois parce que lorsque tu parles tu ressembles à un lapin et quand tu couches avec moi tu me permets de prendre tout le drap et tu attrapes froid.

FANDO. — Ça n'a pas d'importance.

LIS. — Et surtout parce que le matin tu me laves à la fontaine et que, de cette façon, je n'ai pas à le faire, moi qui n'aime pas ça.

FANDO, *après une pause, d'un air très résolu.* — Lis, je veux faire beaucoup de choses pour toi.

LIS. — Combien?

FANDO, *il réfléchit.* — Le plus possible.

LIS. — Alors, ce que tu dois faire, c'est te battre dans la vie.

FANDO. — C'est très difficile.

LIS. — C'est la seule chose que tu puisses faire pour moi.

FANDO. — Me battre dans la vie ? Qu'est-ce que tu racontes! *(Un temps.)* On dirait presque une plaisanterie. *(Très sérieusement.)* Mais, Lis, je ne sais pas pourquoi je dois me battre, et peut-être que si je le savais je n'aurais pas la force nécessaire, et si j'en avais la force je ne sais pas si elle me servirait à vaincre.

LIS. — Fando, fais un effort.

FANDO. — Faire un effort? *(Pause.)* Peut-être que ça sera plus facile.

LIS. — Il faut nous mettre d'accord.

FANDO. — Et tu es sûre que ça nous servira?

LIS. — Presque sûre.

FANDO, *il réfléchit.* — Mais nous servir à quoi?

LIS. — Peu importe, ce qui compte, c'est que ça nous serve.

FANDO. — Comme tout est simple pour toi.

LIS. — Non, pour moi aussi tout est très difficile.

FANDO. — Mais tu trouves des solutions à tout.

LIS. — Non, je ne trouve jamais de solutions, ce qui se passe, c'est que je mens en disant que j'en ai trouvé.

FANDO. — Mais ce n'est plus du jeu.

LIS. — Je sais que ce n'est plus du jeu. Mais comme on ne me demande jamais rien, c'est la même chose. Et puis ça fait très joli.

FANDO. — Oui, c'est vrai, ça fait très joli. Mais si quelqu'un te demande quelque chose?

LIS. — Il n'y a pas de danger. Personne ne demande rien. Ils sont tous très occupés à chercher la manière de se mentir à eux-mêmes.

FANDO. — Ah là là! Que c'est compliqué!

LIS. — Oui, très.

FANDO, *ému.* — Que tu es intelligente, Lis!

LIS. — Mais ça ne me sert à rien, tu me fais toujours souffrir.

FANDO. — Non, Lis, je ne te fais pas souffrir, bien au contraire.

LIS. — Si, rappelle-toi comme tu me bats dès que tu en as l'occasion.

FANDO, *honteux.* — C'est vrai. Je ne le ferai plus, tu verras.

LIS. — Tu dis toujours que tu ne le feras plus, et puis tu me tourmentes dès que tu le peux, et tu me dis que tu vas m'attacher avec une chaîne pour que je ne puisse pas bouger. Tu me fais pleurer.

FANDO, *très tendre.* — Je te fais pleurer, et peut-être même au moment où tu as tes règles. Non, Lis, je ne le ferai plus. *(Pause.)* Je m'achèterai une barque quand nous serons arrivés à Tar et je t'emmènerai voir la rivière. Tu veux, Lis?

LIS. — Oui, Fando.

FANDO. — Et je ressentirai toutes tes douleurs, Lis, pour que tu voies bien que je ne veux pas te faire souffrir. *(Pause.)* J'aurai des enfants, comme toi, aussi.

LIS, *émue.* — Comme tu es bon!

FANDO. — Veux-tu que je te raconte des jolies histoires, comme celle de l'homme qui conduisait une femme paralytique à Tar dans une petite voiture?

LIS. — Promène-moi d'abord.

FANDO. — Oui, Lis. *(Fando prend Lis dans ses bras et la promène sur scène.)* Regarde, Lis, comme la campagne et la route sont belles.

LIS. — Oui, ça me plaît beaucoup!

FANDO. — Regarde les pierres.

LIS. — Oui, Fando, quelles jolies pierres!

FANDO. — Regarde les fleurs.

LIS. — Il n'y a pas de fleurs, Fando.

FANDO, *violemment*. — C'est la même chose, regarde les fleurs!

LIS. — Je te dis qu'il n'y a pas de fleurs.

Lis parle maintenant sur un ton très humble, Fando, au contraire, devient de plus en plus autoritaire et brutal.

FANDO. — Je t'ai dit de regarder les fleurs! *(Il crie)*. Est-ce parce que tu ne m'as pas compris?

LIS. — Si, Fando, pardonne-moi. *(Longue pause.)* Combien je regrette ma paralysie!

FANDO. — C'est une bonne chose que tu sois paralysée, comme ça, c'est moi qui te promène.

Fando se lasse de porter Lis dans ses bras et il devient de plus en plus violent au fur et à mesure qu'il se fatigue.

LIS, *tout doucement, de crainte de déplaire à Fando.* — Comme la campagne est jolie avec ses fleurs et avec ses beaux arbres.

FANDO, *irrité*. — Où vois-tu des arbres?

LIS, *doucement*. — On dit ça, la campagne avec ses beaux arbres.

Pause.

FANDO. — Tu pèses trop lourd.

Fando, sans aucune précaution, laisse tomber Lis par terre.

LIS, *cri de douleur.* — Aïe, Fando! *(Tout de suite avec douceur, de crainte de déplaire à Fando.)* Comme tu m'as fait mal!

FANDO, *durement.* — Tu viendras te plaindre encore.

LIS, *prête à pleurer.* — Non, je ne me plains pas. Merci beaucoup, Fando. *(Pause.)* Mais je voudrais que tu me promènes dans la campagne et que tu me montres les fleurs si jolies.

Fando, visiblement ennuyé, prend Lis par une jambe et la traîne sur scène.

FANDO. — Alors, tu les vois maintenant, les fleurs que tu veux voir? Hein? Dis. Alors, tu en as vu assez?

LIS *sanglote mais tâche que Fando ne l'entende pas. Elle souffre sûrement beaucoup.* — Oui... Oui... merci... Fando...

FANDO. — Où veux-tu que je te porte? Jusqu'à la petite voiture?

LIS. — Oui... si ça ne te dérange pas.

Fando traîne Lis par une main et la mène près de la petite voiture.

FANDO, *visiblement ennuyé.* — Il faut que je fasse tout pour toi et tu pleures par-dessus le marché.

LIS. — Pardonne-moi, Fando.

Elle sanglote.

FANDO. — Un beau jour, je t'abandonnerai et je m'en irai très loin de toi.

LIS, *elle pleure.* — Non, Fando, ne m'abandonne pas, je n'ai que toi au monde.

FANDO. — Tu ne fais que me gêner. *(Il crie.)* Et ne pleure pas!

LIS, *elle fait un effort pour ne pas pleurer.* — Je ne pleure pas.

FANDO. — Ne pleure pas, je te dis. Si tu pleures, je m'en vais tout de suite.

Lis, malgré ses efforts, continue à pleurer.

FANDO, *très ennuyé.* — Alors, tu pleures et tout et tout, hein? Eh bien, je m'en vais tout de suite et je ne reviendrai plus.

Fando sort, furieux; au bout de quelques instants il entre à nouveau à quatre pattes et se dirige vers l'endroit où se tient Lis.

FANDO, *humblement.* — Lis, pardonne-moi.

Fando prend Lis dans ses bras et l'embrasse. Ensuite, il l'assied commodément. Elle se laisse faire sans rien dire.

FANDO. — Je ne serai plus méchant avec toi.

LIS. — Que tu es bon, Fando!

FANDO. — Oui, Lis. Tu verras comme je serai gentil désormais.

LIS. — Oui, Fando.

FANDO. — Dis-moi ce que tu désires.

LIS. — Que nous nous mettions en route pour Tar.

FANDO. — Nous partirons tout de suite.

Fando prend Lis dans ses bras avec beaucoup de soin et il la dépose dans la petite voiture.

FANDO. — Mais nous essayons depuis longtemps d'arriver à Tar et nous n'y avons jamais réussi.

LIS. — Nous allons essayer encore une fois.

FANDO. — Très bien, Lis, comme tu voudras.

Fando pousse la petite voiture qui commence à traverser la scène lentement. Lis, de l'intérieur, regarde vers le fond. Fando s'arrête tout à coup, se dirige vers Lis et lui caresse le visage de ses deux mains. Pause.

FANDO. — Je te demande pardon pour ce qui s'est passé. Je ne voulais pas te faire de peine.

LIS. — Je le sais bien, Fando.

FANDO. — Aie confiance en moi, je ne le ferai plus.

LIS. — Oui, j'ai confiance en toi. Tu es toujours très bon avec moi. Je me rappelle que tu m'envoyais de très grandes lettres quand j'étais à l'hôpital, pour me permettre de me vanter d'en recevoir de très longues.

FANDO, *flatté.* — Ça n'a pas d'importance, Lis.

LIS. — Je me rappelle aussi que, souvent, comme tu n'avais rien à me raconter, tu m'envoyais beaucoup de papier hygiénique pour que la lettre soit volumineuse.

FANDO. — Ce n'est rien.

LIS. — Comme j'étais contente!

FANDO. — Tu vois que tu dois avoir confiance en moi.

LIS. — Oui, Fando, j'ai confiance.

La petite voiture quitte la scène, poussée par Fando.

RIDEAU

DEUXIÈME TABLEAU

Même lieu.
Crépuscule. Fando entre en scène en poussant la petite voiture dans laquelle se trouve Lis. Il s'arrête. Lentement et avec beaucoup de précautions il soulève Lis de la voiture et la pose à terre. Une grosse chaîne de fer attache un des pieds de Lis à la petite voiture. La chaîne est assez longue. Fando parlera maintenant sur un ton doucement désespéré.

FANDO. — Lis, je suis très fatigué. Je vais me reposer un moment.

Lis regarde distraitement.

FANDO. — Je te dis que je suis fatigué et que je vais m'asseoir un moment.

Lis regarde en hochant la tête, le visage sans expression.

FANDO. — Tu veux quelque chose? Dis-moi si tu veux quelque chose.

Lis ne répond pas.

FANDO. — Parle-moi, Lis, ne reste pas muette, dis-moi quelque chose. Je sais ce que tu as, tu es fâchée contre moi parce que nous n'avons pas avancé d'un pas après une si longue marche et que nous nous retrouvons au même endroit.

On dirait que Lis n'entend rien.

FANDO. — Lis, réponds-moi *(Suppliant.)* Veux-tu quelque chose? Lis, parle-moi.

Fando continue à parler sur un ton suppliant et plaintif.

FANDO. — Tu veux que je te change de place? Tu n'es pas bien ainsi?

Lis ne répond pas. Lis ne montre pas le moindre intérêt pour Fando.

FANDO. — Je sais bien. Tu veux que je te change de place.

Fando la change de place avec beaucoup de précautions. Elle se laisse faire. Il la traite avec beaucoup d'attention.

FANDO. — Comme ça tu seras mieux.

Fando met ses mains sur les joues de Lis et la regarde avec enthousiasme.

FANDO. — Lis, que tu es jolie.

Fando l'embrasse. Lis ne bouge toujours pas.

FANDO. — Mais dis-moi quelque chose, Lis. Parle-moi. Tu t'ennuies? Veux-tu que je joue du tambour pour toi? *(Fando regarde Lis, attendant une réponse, puis il ajoute tout content:)* Oui, je crois bien que tu veux que je te joue du tambour.

Fando tout content se dirige vers la petite voiture, détache le tambour et le place à la hauteur de son estomac.

FANDO. — Que veux-tu que je te joue?

Lis se tait. Silence.

FANDO. — Bon, je vais jouer l'air de la plume. Ça te plaît? *(Silence.)* Ou préfères-tu que je joue l'air de la plume?

Silence. Lis ne répond pas.

FANDO. — Comme tu voudras.

mais il s'arrête.
Il va commencer à jouer du tambour.

FANDO. — J'ai honte, Lis. *(Silence.)* Bon, je ferai un effort pour toi et je te jouerai la chanson de la plume que tu aimes tant.

Il va commencer, mais ne se décide pas.

FANDO, *honteux.* — Je regrette de ne connaître que la chanson de la plume.

Pause. Aussitôt Fando se met à jouer du tambour d'une façon assez maladroite pendant qu'il chante d'une voix assez discordante la chanson suivante:

La plume était dans le lit
Et le lit étant dans la plume. *(Bis)*

Quand il a fini, il dit à Lis:

FANDO. — Ça t'a plu, Lis?

Lis ne dit rien. Fando, très attristé, se dirige vers la voiture pour replacer le tambour. Avant de le poser, il regarde Lis, reprend vivement le tambour et joue à nouveau. Il regarde Lis de biais, mais s'aperçoit que sa musique la laisse indifférente. Découragé, il abandonne le tambour près de la voiture.

FANDO, *plus triste que jamais.* — Parle-moi, Lis, parle-moi, dis-moi quelque chose. Comment veux-tu continuer notre chemin si tu ne me parles pas? Je me fatigue. Il me semble que je suis tout seul. Parle-moi, Lis, dis-moi quelque chose, raconte-moi n'importe quoi, même si c'est laid et bête, mais raconte-moi quelque chose. Tu sais très bien parler quand tu veux. Lis, ne m'oublie pas. *(Pause.)* Je te conduirai à Tar. *(Pause.)* De temps en temps tu te tais et je ne sais pas ce que tu as. Je ne sais pas si tu as faim ou si tu veux des fleurs ou si tu as envie de pisser. Bien sûr, je peux me tromper, je sais bien que tu ne me dois rien et que même tu peux être fâchée contre moi, mais ce n'est pas une raison pour ne pas me parler. *(Pause.)* Comme je sais que tu veux aller à Tar, je t'ai mise dans la petite voiture et je te conduis. Peu importent les difficultés, je veux seulement faire ce qui te plaira le mieux. *(Silence).* Mais parle-moi, Lis.

Lis regarde sans expression. Entrent trois hommes: Mitaro, Namur et Toso. Namur marche entre ses deux amis et il porte un grand parapluie noir qui les abrite tous trois. Ils forment un seul bloc. Ils s'arrêtent loin de Lis et de Fando pour examiner l'endroit sans faire le moins du monde attention à eux. Après l'examen, particulièrement minutieux en ce qui concerne Mitaro et Namur qui vont jusqu'à flairer le sol, ils se réunissent à nouveau tous les trois sous le parapluie.

TOSO. — Oui, nous pouvons bien dormir ici.
MITARO. — Mais auparavant, il faut que nous sachions d'où vient le vent.

Il mouille son doigt et le lève en l'air.

NAMUR. — Ça n'a pas d'importance. Ce qui importe, c'est de savoir où il va.

TOSO. — Plaçons-nous sous le parapluie pour dormir et laissons de côté les histoires de vent.

MITARO, *blessé.* — Tu es toujours aussi insouciant.

NAMUR. — Si nous l'écoutions, nous serions déjà tous morts.

MITARO. — Morts ou pis encore, à cause de sa maudite manie de ne prendre aucune précaution.

TOSO, *entêté.* — Je crois que ce qui importe c'est de dormir.

MITARO. — Ce qui importe c'est de savoir d'où vient le vent.

NAMUR, *le reprenant doucement.* — Non, ce qui importe c'est de savoir où il va.

MITARO. — Je continue d'affirmer que ce qui importe c'est de savoir d'où vient le vent.

NAMUR. — Enfin, je ne vais pas me montrer intransigeant, je ne veux pas être comme Toso. Comme tu voudras.

MITARO, *tout à fait satisfait.* — Alors, nous disons que ce qui importe c'est de savoir d'où vient le vent.

NAMUR, *conciliant.* — C'est ça, savoir d'où vient le vent. *(Après une courte pause, il ajoute sur un ton plus bas:)* Et où il s'en va après être venu.

TOSO, *l'interrompant.* — Pour moi, vous direz ce que vous voudrez, il me semble que ce qui est réellement important c'est de se mettre à dormir au plus vite.

MITARO, *très en colère.* — C'est ça, il n'y a rien de plus facile, nous mettre à dormir, et après?

NAMUR. — Oui, oui, et après?

TOSO. — Après... nous verrons.

MITARO. — Nous verrons! C'est ainsi qu'adviennent les pires catastrophes, par imprévoyance, parce qu'on n'a pas pris la moindre précaution.

NAMUR. — Exactement, exactement. Après tout, combien de temps est-ce que ça nous demanderait de prendre des précautions? Pratiquement une minute. Quels risques éviterons-nous grâce à elles? Énormément.

MITARO. — Très bien dit.

TOSO. — Mais moi, ça me fatigue de prendre des précautions.

MITARO. — Cela fatigue monsieur.

TOSO. — Et puis, c'est très difficile.

MITARO. — Il va trouver maintenant qu'il ne peut pas faire le plus petit effort.

TOSO. — Ce n'est pas un petit effort, mais un très grand.

MITARO. — Monsieur va en attraper une hernie!

NAMUR. — Il a peut-être raison, l'effort de prévoir est très grand et très compliqué. Et prendre les précautions qui s'imposent devient presque impossible.

MITARO. — Oui, je me rends à l'évidence. C'est un grand effort mais instantané, un effort qui dure peu.

NAMUR. — Qui dure peu? Ça dépend de la façon dont tu vois la chose.

MITARO. — Ne viens pas me raconter tes histoires maintenant, je me rappelle bien ce que tu m'as dit l'autre jour, que deux phénomènes simultanés pour un observateur terrestre ne le sont pas pour un observateur planétaire. De là tu déduisais que la simultanéité est relative et que, par conséquent, le temps est aussi relatif. Et je t'ai dit que moi je n'y croyais pas plus qu'au Père Noël.

NAMUR. — Moi, la seule chose que je t'affirme c'est que l'effort ne dure pas peu.

MITARO, *en colère et ne sachant que répondre, se tait, puis dit:* — Mais nous nous sommes écartés du nerf de la question qui consistait à savoir d'où vient le vent.

NAMUR. — Oui, c'est cela, nous essayions de savoir d'où vient le vent... *(Il ajoute plus bas:)* ...pour savoir où il va.

MITARO. — Nous étions tout simplement en train de prendre des précautions pour pouvoir dormir tranquillement et tout de suite, lorsque Toso a dit que ce qui importait c'était de s'endormir.

TOSO. — Mais...

NAMUR, *l'interrompant sur un ton indigné.* — Toso, reconnais que jusqu'à présent tu nous as empêchés de dormir avec des raisonnements et ton manque de solidarité envers nos positions.

Toso ne dit rien.

MITARO. — Pas un seul instant tu ne t'es arrêté à étudier intelligemment nos positions, mais, au contraire, tu t'es désolidarisé de notre point de vue d'une façon inconsidérée et destructive.

TOSO. — J'ai seulement dit que ce qui importait c'était de s'endormir sous le parapluie le plus vite possible.

NAMUR, *indigné.* — Quelle audace! Tu oses encore le reconnaître cyniquement sans nous demander pardon. A ta place, le rouge de la honte me monterait au visage. Tu nous vois encore en train de discuter par ta faute.

MITARO. — Mais oui, par ta seule faute.

NAMUR. — Tu vois bien que j'ai renoncé à ma première position, à soutenir que l'important est de savoir d'où vient le vent, au bénéfice d'un accord plus rapide qui nous facilitera une courte installation et ce, soit dit en passant, quand on peut voir comme le nez au milieu du visage que ce qui importe c'est de savoir où va le vent.

MITARO, *souriant mais incisif.* — Sans vouloir trop te contredire, je désire qu'il soit nettement établi que ce qui importe c'est de savoir d'où vient le vent.

NAMUR, *il essaie de sourire pour dissimuler sa colère.* — Je me permets d'ajouter que tout le monde sera d'accord pour reconnaître que ce qui importe c'est de savoir où va le vent.

Fando, qui a suivi la conversation des hommes au parapluie, très intéressé, se dirige vers eux.

FANDO, *honteux.* — Pardon. Excusez-moi. Comme c'est joli de là-bas *(il désigne l'endroit où il se tenait auparavant)* d'entendre votre discussion! Comme vous le faites bien! Vous me laissez discuter aussi?

Les trois hommes au parapluie se regardent, très ennuyés.

FANDO. — Laissez-moi discuter avec vous. *(Pause.)* Elle ne veut pas me parler et moi j'aimerais bien raconter un tas de choses à quelqu'un. Je suis seul.

Les trois hommes au parapluie, très en colère, se couchent sur le sol, sous le parapluie, et commencent à dormir.

FANDO, *humblement.* — Je sais faire beaucoup de choses. Je peux vous aider si vous me parlez. *(Pause. Il poursuit, un peu honteux:)* Je sais aussi jouer du tambour. *(Il rit timidement.)* Pas très bien, mais je sais de jolies chansons comme la chanson de la plume. Vous allez voir ce que vous allez voir.

Fando va chercher son tambour. Les hommes au parapluie dorment consciencieusement, l'un d'entre eux ronfle.

FANDO, *tandis qu'il place son tambour dans la position requise.* — Je vais jouer et chanter pour vous, mais à la condition expresse que vous me parliez. *(Il va vers eux.)* Est-ce que vous ne m'entendez pas? *(Fando constate qu'ils se sont endormis. Il revient tristement vers Lis.)* Ils n'ont pas fait attention à moi, ils ne veulent pas m'entendre, Lis. J'ai beaucoup de choses à leur dire et même j'allais leur chanter la chanson de la plume.

Silence. Lis continue à ne pas le voir.

FANDO, *à Lis, doucement.* — Lis, tu es meilleure qu'eux. Tu sais dire de jolies choses. Parle-moi.

Lis se tait. Long silence.

Fando. — Tu veux que je fasse une exhibition pour te satisfaire ? Je vais faire des acrobaties, hein ?

Lis se tait. Fando exécute une série d'exercices qui sont un mélange de ballet, de bouffonneries, de clowneries et de gestes d'ivrognes. Enfin, en se tenant sur une jambe, il appuie son coude sur le genou de son autre jambe tandis qu'avec sa main il fait des pieds de nez et pousse des cris de joie.

Fando. — Regarde comme c'est difficile, Lis. Regarde comme c'est difficile.

Lis se tait. Fando silencieux et découragé termine son numéro. Il se dirige vers Lis et tourne autour d'elle plein de tristesse. Silence.

Fando, *il dit sur un ton plaintif, mais sans crier.* — Parle-moi, Lis. Parle-moi.

RIDEAU

TROISIÈME TABLEAU

Même licu.
Les hommes au parapluie (Namur, Mitaro et Toso) parlent avec Fando. A quelques mètres de là se trouve Lis, assise dans la voiture.

NAMUR. — Voilà de nombreuses années que nous avons entrepris de le faire.

FANDO. — J'ai entendu dire qu'il est impossible d'arriver.

NAMUR. — Non, ce n'est pas que ce soit impossible. Tout simplement personne n'est arrivé et jamais personne ne pense y arriver.

MITARO. — Ce qui n'est pas si compliqué, c'est d'essayer.

FANDO. — Alors, elle et moi, nous n'arriverons jamais?

MITARO. — Vous êtes en de meilleures conditions que nous. Vous avez une petite voiture. Ça vous permet d'aller mieux et plus vite.

FANDO. — Oui, bien sûr, je vais plus vite, mais je reviens toujours au même endroit.

MITARO. — Il nous arrive la même chose, nous avons beau faire route vers Tar, nous revenons toujours au même endroit.

NAMUR. — Mais ce n'est pas le plus grave inconvénient que nous rencontrons, le pire est sans doute que nous ne prenons jamais de précautions.

MITARO. — Oui, Namur a raison, c'est le pire. Comme nous aurions avancé si nous avions pris des précautions!

TOSO, *ennuyé.* — Vous voilà encore avec vos précautions. Je vous ai déjà dit que ce qui importe c'est de continuer notre route.

NAMUR, *désolé.* — Soyons précis, ce qui nous empêche d'arriver à Tar, c'est lui, Toso, avec son habituel esprit de contradiction, son habituel refus de se joindre à nous dans la façon de voir les choses.

MITARO. — Ce n'est pas que nous, Namur et moi, pensions la même chose ou que nous ayons les mêmes idées, mais en fin de compte nous nous mettons d'accord, mais lui... C'est sa faute si nous ne sommes pas encore arrivés à Tar. Hier, sans aller plus loin...

NAMUR, *lui coupant la parole.* — Oui, l'histoire du vent et l'envie de dormir.

MITARO. — Oui, c'est ça, c'est ça.

FANDO, *se souvenant avec enthousiasme.* — Oh, comme vous discutiez bien, comme ça faisait joli!

NAMUR, *ironiquement.* — Oui, oui, joli...

MITARO. — Est-ce que vous n'entendiez pas ce que nous disions?

FANDO. — Si, mais je ne faisais pas attention, j'entendais seulement la musique. Une jolie musique. *(Chantonnant:)* Patati, patata, si mimi, si momo, que si lo, que la.

NAMUR. — C'est vrai. Comme ce devait être joli!

FANDO. — De là-bas, c'était très beau à entendre.

MITARO. — C'est l'ennui : c'est bien quand on l'entend de loin, ça chante, mais qu'arrive-t-il?

NAMUR. — Le pire, le plus grave.

MITARO. — Nous ne pouvons pas éviter qu'il jette la discorde dans notre union. C'est un cochon, sans aucun doute.

NAMUR. — Pire encore qu'un cochon.

Fando réfléchit. Silence.

FANDO, *intervenant.* — Qu'avez-vous demandé ? Ce qu'il y a de pire qu'un cochon ? ou ce qu'il y a de mieux qu'un cochon ?

NAMUR. — Voyons, voyons, vous allez voir que cet individu s'y connaît en matière d'animaux.

FANDO. — Non, je demande seulement si ce qu'il cherche *(il montre Mitaro)* ce sont les animaux meilleurs ou pires que le cochon.

MITARO, *après une longue pause.* — J'ai oublié.

NAMUR, *le reprenant.* — Toujours aussi oublieux et aussi philanthrope.

MITARO, *ennuyé.* — Tu vois comme tu essaies toujours de m'insulter. *(Il réfléchit.)* Pour t'apprendre, pour te faire bisquer, je me rappelle très bien ce que je t'ai demandé, c'est-à-dire quels sont les animaux pires que le cochon et quels sont ceux qui sont meilleurs.

FANDO, *tout content, parle précipitamment.* — Moi, je le sais. Les pires sont le lion, le cafard, la chèvre et le chat, et les meilleurs la vache, le lièvre, la brebis, le perroquet et le kangourou.

NAMUR. — Le kangourou ?

FANDO. — Oui, le kangourou.

NAMUR. — Vous avez dit que le kangourou est pire ?

FANDO, *un peu honteux.* — Oui, oui.

NAMUR. — Mais vous en êtes sûr ?

FANDO, *hésitant.* — ...Oui.

NAMUR. — Mais... sûr, sûr ?

FANDO, *abattu.* — Vous prenez les choses d'une façon qui glisse le doute dans mon esprit.

NAMUR, *cruel.* — Mais... sûr, sûr, sûr ?

FANDO, *en larmes.* — Vous êtes trop fort.

MITARO, *à Namur, sur un ton de reproche.* — Tu l'as fait pleurer.

NAMUR. — Mais ce type-là n'est sûr de rien et il se permet des affirmations qui, bon sang...

MITARO. — Tu l'as fait pleurer comme si c'était un

homme qui aille à Tar avec une femme dans une petite voiture.

FANDO, *l'excusant.* — Mais j'ai pleuré très peu : deux gouttes.

TOSO, *obstiné.* — Je crois que ce que nous devrions faire c'est de moins discuter et d'essayer d'arriver à Tar.

MITARO, *satisfait et blessé.* — Vous voyez l'homme : il est toujours comme ça. Quand nous allons nous mettre en route, quand nous sommes sur le point de nous mettre d'accord, alors il nous sort une bourde.

NAMUR. — Il est insupportable.

FANDO. — Et pourquoi l'admettez-vous en votre compagnie?

NAMUR. — Ça serait très long à raconter.

MITARO. — Une éternité.

TOSO, *inflexible.* — Cesser là toute discussion et faite route vers Tar.

MITARO, *réprimandant Toso.* — C'est comme ça que tu nous aides? Nous essayons de terminer la discussion avec cet homme pour faire route vers Tar et que fais-tu? Tu nous importunes, tu nous ennuies jour et nuit.

NAMUR. — Comme tu es négatif et peu sociable.

MITARO, *à Fando.* — Vous le voyez, c'est regrettable! Vous ne pensez pas?

FANDO. — Si, vraiment.

Silence.

MITARO. — Vous, vous êtes vraiment heureux avec elle.

FANDO. — Oui, bien sûr, elle ne me gêne en rien. Elle est charmante.

MITARO. — Quelle chance!

FANDO. — Venez la voir.

Mitaro et Namur vont voir Lis avec Fando. Lis, les yeux grands ouverts, a l'air absent et se laisse faire sans le moindre geste.

FANDO, *enthousiaste.* — Regardez-la.

Fando prend la tête de Lis et la tourne sous divers angles, en disant:

FANDO. — Regardez comme elle est belle.
MITARO. — Oui, elle est très belle.
FANDO. — Baissez-vous pour mieux la voir d'en bas, en perspective.

Mitaro et Namur, accroupis, regardent Lis. Fando continue à la placer dans des positions différentes.

FANDO. — Venez ici, vous verrez comme c'est joli.

Les deux hommes s'approchent de la voiture.

FANDO. — Regardez quelles jolies jambes et comme l'étoffe de sa combinaison est douce. Touchez-la.

Mitaro et Namur touchent la combinaison.

MITARO. — C'est vrai, quelle douce étoffe.
FANDO, *vraiment satisfait.* — Regardez comme ses cuisses sont blanches et douces.

Fando lève la combinaison de Lis pour que les hommes voient ses cuisses.

MITARO. — C'est vrai, comme elles sont blanches et douces.

Fando arrange la combinaison avec beaucoup de soin.

FANDO. — Ce que j'aime le mieux, c'est l'embrasser. Son visage est très doux, c'est un plaisir de la caresser. Caressez-le.

MITARO. — Tout de suite?

FANDO. — Oui, caressez-le comme ça :

Fando prend le visage de Lis entre ses deux mains et les laisse glisser le long des joues avec tendresse.

FANDO. — Allez-y, caressez-la, vous verrez comme c'est joli.

Mitaro caresse le visage de Lis d'une main.

FANDO. — Non, avec les deux mains.

Mitaro, plein de respect, la caresse.

FANDO. — Alors, que vous en semble?

MITARO. — C'est très bien.

FANDO. — Vous aussi. *(Il désigne Namur.)*

Namur la caresse.

FANDO. — Embrasse-la aussi, comme moi.

Fando embrasse rapidement Lis sur la bouche.

FANDO. — Faites-le, vous verrez comme c'est bon.

Namur et Mitaro embrasse Lis sur les lèvres, pleins de respect. Lis a toujours l'air inexpressif.

FANDO. — Alors? Ça vous a plu?
NAMUR et MITARO. — Oui, beaucoup.
FANDO, *très content.* — Eh bien, c'est ma fiancée.
MITARO. — Pour toujours?
FANDO. — Oui, pour toujours.
MITARO. — Et vous ne vous en lassez jamais?
TOSO, *l'interrompant.* — Quand allons-nous nous mettre en route vers Tar?
MITARO, *après une courte pause.* — Vous voyez comme il est?
FANDO. — Oui.
NAMUR. — Il ne nous laisse jamais finir.
TOSO. — Moi, ce que je dis, c'est que nous devons nous mettre en route vers Tar le plus vite possible.
MITARO, *indulgent.* — Excusez toutes ses incorrections. Il est comme ça. Il est né comme ça, il n'y a rien à faire pour le guérir.
NAMUR. — On ne peut rien lui apprendre, c'est inutile. Dès que nous allons faire quelque chose, il vient aussitôt nous troubler avec ses complications. Il ne nous laisse pas nous mettre d'accord.
FANDO. — Mais il a peut-être raison de dire qu'il serait bon de nous mettre en route.
NAMUR. — Raison, ce qu'on peut appeler raison, il en a toujours un peu.
MITARO. — Il faut reconnaître qu'il ne parle pas en l'air.

NAMUR. — C'est vrai, si l'on regarde de près il a parfois un brin raison, pas beaucoup, naturellement, mais un peu.

MITARO. — C'est peut-être pour nous le plus gros inconvénient. Je m'expliquerai : nous trouvons toujours un soupçon de raison même s'il est lointain, dans tout ce qu'il dit.

NAMUR. — Très lointain.

MITARO. — Oui, oui, très lointain, mais du moins nous en trouvons un. C'est pourquoi, bien que nous jugions ses propositions absurdes et corrosives, nous les acceptons toujours, nous les discutons et même nous nous efforçons de lui en faire voir les bons et les mauvais côtés.

TOSO. — Moi, ce que je crois, c'est que nous devons faire route vers Tar.

NAMUR, *très satisfait*. — Vous voyez?

MITARO, *également satisfait*. — Vous vous rendez compte?

FANDO. — Oui, oui, je vois.

MITARO. — Et ce serait si simple pour lui de se taire.

FANDO. — C'est simple de se taire?

MITARO. — Je ne dis pas qu'il ne faille pas prendre les précautions voulues et même avoir de l'expérience, mais en vérité si l'on essaie vraiment on peut parvenir à se taire.

FANDO. — Eh bien moi j'ai essayé un jour... et ne croyez pas que ce soit des roses.

NAMUR. — Ah! Quel homme intéressant! Que de choses il a faites!

MITARO. — Et que vous est-il arrivé lorsque vous avez essayé?

FANDO, *tout rouge*. — C'était amusant.

MITARO. — Racontez-nous, racontez-nous. Ah! que c'est intéressant!

NAMUR. — Que s'est-il passé? Qu'avez-vous fait?

FANDO. — Je me suis levé le matin et je me suis dit : « Aujourd'hui je me tairai toute la journée. »

NAMUR, *essayant de comprendre, répète tout haut*. — Il s'est levé le matin et il s'est dit : « Aujourd'hui je me tairai toute la journée. »

FANDO, *il poursuit*. — Et alors...

NAMUR, *interrompant à nouveau.* — Il y a quelque chose que je ne comprends pas bien : vous nous avez dit que vous essayiez de ne rien dire pendant toute la journée, comment vous êtes-vous parlé ?

MITARO. — Ne fais pas l'idiot ; il s'est parlé mentalement.

NAMUR. — Ah ! Ça change tout.

MITARO. — Continuez, continuez, je suis très intéressé.

FANDO. — Alors, décidé à ne pas parler, j'ai commencé à penser à ce que je pourrais faire pour compenser mon silence et je me suis mis à marcher de long en large.

NAMUR. — Vous deviez vous sentir tout content.

FANDO. — Au début, oui, je marchais tant et plus. Mais après vint le pire.

Fando se tait.

NAMUR, *très intéressé.* — Qu'est-il arrivé ?

MITARO. — Racontez, racontez.

FANDO. — Non, je ne le raconte pas : c'est très intime.

NAMUR. — Et vous allez nous laisser comme ça, tout alléchés ?

FANDO. — Il vaut mieux que je me taise maintenant... l'histoire finit mal.

NAMUR. — Mais vraiment mal ?

FANDO, *au bord des larmes.* — Oui, oui, très mal.

NAMUR. — Quel dommage !

MITARO. — C'est vrai ! Comme c'est triste !

TOSO. — Il vaudrait mieux nous mettre en route pour Tar.

Silence et consternation.

MITARO. — Vous voyez bien, pourquoi insister ?

FANDO. — Oui, oui, vraiment.

MITARO. — C'est ce qui me plaît le plus en vous. Vous nous avez compris. Parce que, quelquefois, on ne nous comprend même pas. L'autre jour nous avons rencontré quelqu'un d'autre qui allait aussi à Tar et qui s'obstinait à lui donner raison tout le temps.

FANDO. — J'ai tout de suite vu que vous aviez raison et non pas lui. Dès que vous avez discuté les histoires de vent j'ai compris.

MITARO. — Et comment avez-vous compris si vite?

FANDO. — C'est facile pour moi. Je me suis dit...

NAMUR, *l'interrompant.* — Mentalement?

MITARO. — Bien sûr, mon vieux!

NAMUR, *étonné.* — En voilà un phénomène! Comme il se parle mentalement!

FANDO. — Alors je me suis dit : le premier qui dira le mot « où » aura raison et comme c'est vous qui l'avez dit avant lui, j'ai su qu'il avait tort.

NAMUR, *enthousiaste.* — C'est un bon procédé pour savoir qui a raison.

FANDO. — Oui, c'est excellent.

NAMUR. — Et vous l'employez toujours?

FANDO. — Presque toujours.

FANDO. — Presque toujours.

MITARO. — Comme ça vous devez avoir beaucoup d'expérience.

FANDO. — Oui, je n'en manque pas. Bien que parfois je me serve d'autres systèmes.

NAMUR, *au comble de l'étonnement.* — D'autres systèmes?

FANDO, *flatté.* — Mais bien sûr!

NAMUR. — Quel homme fertile en inventions!

MITARO. — Quel souci de savoir où se trouve la raison!

FANDO. — Depuis mon enfance j'utilise des systèmes infaillibles pour la reconnaître.

NAMUR. — C'est ce que nous aurions dû faire et non perdre notre temps comme nous l'avons perdu.

MITARO. — Ce n'est pas l'heure de se lamenter.

NAMUR, *ennuyé.* — Oui, bien sûr. *(Pause.)* Et quels autres procédés avez-vous utilisés pour savoir qui a raison?

FANDO. — J'en ai utilisé un autre avec les jours de la semaine; mais c'est très compliqué.

MITARO, *intéressé.* — Comment est-ce?

FANDO. — C'est comme ça : les jours multiples de trois ont raison les messieurs à lunettes. Les jours pairs ont raison les mères, et les jours terminés par zéro personne n'a raison.

MITARO, *enthousiasmé.* — Que c'est bien!

FANDO. — Mais c'est très compliqué : il faut bien noter le jour et ne pas se tromper; c'est ainsi que parfois je donnais raison à qui avait tort.

MITARO, *alarmé.* — C'est très grave!

FANDO. — Très grave! Souvent cela empêchait mes ongles de pousser.

MITARO. — On comprend que vous préfériez le système actuel.

FANDO. — C'est plus simple, si l'on y regarde de près.

NAMUR. — Plus simple? Et si personne ne dit le mot « où »?

FANDO. — J'ai tout prévu. Si au bout de cinq minutes personne n'a dit le mot « où », je donne raison au premier qui dit le mot « mouche ».

MITARO, *étonné.* — Très complet.

FANDO, *satisfait.* — Oui, oui, sans nul doute. C'est un système très complet.

NAMUR. — Et si personne ne dit le mot « mouche »?

FANDO. — Alors je le remplace par le mot « arbre ».

MITARO, *étonné.* — Quelle prévoyance!

FANDO, *flatté.* — Oui, je n'ai pas à me plaindre.

NAMUR. — Et si personne ne dit le mot « arbre »?

FANDO. — Alors je donne raison au premier qui dit le mot « eau ».

MITARO, *complètement stupéfait.* — Tonnerre! Que de prévisions.

FANDO, *très satisfait.* — Je préfère toujours faire une chose à fond. A la longue on s'en trouve mieux, bien qu'au début ce soit plus fatigant.

NAMUR, *odieux.* — Et si personne ne dit le mot « arbre »?

Fando et Mitaro regardent Namur avec rancune. Silence. Namur a honte.

NAMUR. — Je demande seulement ce qui se passe si personne ne dit le mot « arbre ». Je ne veux pas lui faire un affront.

MITARO, *gêné.* — Non seulement un affront, mais tu as l'air d'avoir une dent contre lui.

NAMUR, *abasourdi.* — Bon, bon, je n'ai rien demandé.

MITARO. — C'est mieux ainsi.

NAMUR, *tout bas.* — Bien que je sache que si personne ne dit le mot « arbre » tout le système s'effondre.

MITARO, *indigné.* — Tu es aussi têtu que Toso.

FANDO. — Peu importe car j'ai prévu cela aussi. Si personne ne dit le mot « arbre », je donne raison au premier qui dit... *(hésitation)* qui dit... *(il réfléchit)* qui dit... le mot... le mot... « mot ».

NAMUR. — C'est de la triche, vous venez de le trouver.

MITARO. — Tu me fais honte, Namur, avec tes incorrections.

FANDO. — Non, c'est faux, je ne viens pas de le trouver.

NAMUR. — Alors, dites-nous, quand en avez-vous fait l'expérience?

FANDO, *confus.* — A vrai dire, je n'en ai pas encore fait l'expérience.

NAMUR, *à Mitaro.* — Tu vois, tu vois.

TOSO, *interrompant.* — Quand allons-nous nous mettre en route pour Tar?

Silence. Tous trois se regardent, impressionnés par la demande de Toso.

MITARO. — C'est vrai que nous devrions nous mettre en marche.

FANDO. — Vous me laissez aller avec vous?

NAMUR. — Avec nous?

FANDO. — Oui, avec vous.

NAMUR. — Je ne sais pas. Il faut savoir si tous les trois nous sommes d'accord. *(A Mitaro.)* Toi, ton avis?

MITARO, *d'un air méprisant.* — Eh bien, qu'il vienne.

NAMUR, *parlant à l'oreille de Mitaro, de façon que Fando ne l'entende pas.* — Mais rends-toi compte qu'il emmène une femme et une petite voiture. Nous ne pouvons pas nous permettre le luxe d'une telle compagnie. C'est trop de responsabilité.

MITARO. — Mais qu'est-ce que ça peut faire?

NAMUR, *presque congestionné.* — Fais attention, il va nous entendre. *(Fando se met à siffler pour qu'ils remarquent qu'il n'écoute pas.)* Tu as bien réfléchi à tout ce qui peut nous arriver? Réfléchis bien : rien de plus, rien de moins qu'une femme et une petite voiture? Tu te rends compte de la responsabilité qui pèsera sur nous? Tu te rends compte du nombre de précautions que nous devrons prendre?

MITARO. — Oui, oui. Eh bien quoi? C'est égal.

NAMUR *continue à parler à l'oreille de Mitaro.* — C'est égal... C'est égal... Comme c'est vite dit! Après ne viens pas me raconter que je ne t'ai pas prévenu. *(A haute voix, pour que Fando entende, avec une mauvaise humeur visible malgré son sourire forcé.)* Bon, alors toi, Mitaro, tu es d'accord pour qu'il vienne avec nous?

MITARO, *ennuyé.* — Combien de fois faut-il te le répéter?

NAMUR. — C'est bon, c'est bon. *(A Toso.)* Et toi, Toso?

TOSO. — Moi, tout ce que je désire, c'est que nous nous mettions en route une bonne fois, peu m'importe que ce soit en compagnie de cet homme ou sans lui.

NAMUR, *contrarié mais souriant.* — Ainsi nous voilà tous d'accord, vous pouvez venir avec nous.

FANDO. — Ah! bon.

MITARO. — Nous allons nous mettre en route.

Les trois hommes s'abritent en bloc sous le parapluie. Fando installe confortablement Lis dans la petite voiture.

FANDO. — Et quand arriverons-nous?

NAMUR. — Ça, personne n'en sait rien.

FANDO. — Moi j'ai entendu dire que personne n'est arrivé bien que presque tout le monde ait essayé.

NAMUR. — Des racontars.

Les trois hommes sous le parapluie se mettent en marche pour quitter la scène. Fando les suit en poussant la petite voiture dans laquelle se trouve Lis.

Tous sortent lentement.

RIDEAU

QUATRIÈME TABLEAU

Même lieu.
Fando entre en scène en poussant la petite voiture dans laquelle se trouve Lis. Fando s'arrête.

FANDO. — Qu'as-tu?
LIS. — Je suis malade.
FANDO. — Que veux-tu que je fasse, Lis?
LIS. — M'aider à descendre de voiture.

Fando prend Lis avec beaucoup de précautions et la fait descendre de voiture. Lis porte toujours une longue chaîne de fer enroulée autour de sa cheville et fixée à la voiture.

FANDO. — Où as-tu mal?
LIS. — Je ne sais pas.
FANDO. — Quelle maladie as-tu?
LIS. — Je ne sais pas.
FANDO. — Si je savais quelle maladie tu as, ça changerait tout.
LIS. — Mais je me sens très mal.

FANDO, *avec une grande tristesse.* — Ne meurs pas, hein?

LIS. — Je ressens un grand malaise. Je me sens mal, Fando.

FANDO. — Quel dommage que les hommes au parapluie ne soient pas là! Ils savent beaucoup de choses, sûr qu'ils te guériraient.

LIS. — Mais ils doivent être encore loin, tu as marché très vite.

FANDO. — Oui, j'ai une bonne avance sur eux. *(Satisfait.)* Et pourtant nous sommes partis en même temps ; mais j'ai la petite voiture.

LIS. — Encore une fois nous nous retrouvons au même endroit. Nous n'avons pas avancé du tout.

FANDO. — Que tu es pessimiste. Ce qui compte, c'est que nous ayons de l'avance sur eux.

LIS. — Tu as trop couru, tu es allé très vite. Cette vitesse ne m'a pas fait du bien, je te l'ai déjà dit.

FANDO, *honteux.* — C'est vrai, pardonne-moi, Lis.

LIS. — Tu me demandes toujours pardon, mais tu ne m'écoutes jamais.

FANDO. — C'est vrai, comme je suis méchant avec toi.

Pause.

LIS. — Et puis tu me dis toujours que tu vas me passer les menottes comme si je n'avais pas assez de la chaîne.

FANDO. — Non, je ne te passerai pas les menottes.

Pause.

LIS. — Tu ne m'écoutes jamais, rappelle-toi que parfois, quand je n'étais pas paralysée, tu m'attachais au lit et que tu me battais avec ta ceinture.

FANDO. — Je ne croyais pas que ça te dérangeait.

LIS. — Moi, je te le disais bien. Combien de fois t'ai-je répété que je ne pouvais pas supporter le mal que tu me faisais.

FANDO. — Lis, pardonne-moi. Je ne t'attacherai plus au lit pour te battre avec la ceinture. Je te le promets.

LIS. — Après tu t'es entêté à me mettre cette chaîne qui m'empêche de m'écarter de la voiture. Je peux à peine me traîner.

FANDO. — C'est vrai, Lis, tu aurais dû m'en avertir.

LIS. — Je te le dis toujours, mais jamais tu ne m'écoutes.

FANDO. — Lis, ne parle pas sérieusement avec moi, embrasse-moi.

LIS, *elle prend un air résigné.* — Tu crois que tout s'arrange ainsi.

FANDO. — Tu me tourmentes, Lis. *(Abattu. Silence. Il continue, enchanté.)* A qui vais-je faire un bécot sur la bouche?

LIS. — Ne plaisante pas, Fando.

FANDO. — Lis, ne me gronde pas, je sais bien que je suis coupable, mais ne me gronde pas, tu vas me rendre tout triste.

LIS. — Ne crois pas que tout s'arrange comme ça.

FANDO. — Embrasse-moi, Lis. *(Lis, très grave et sans expression, laisse Fando l'embrasser passionnément.)* Oublie toutes ces choses et ne m'y fais plus penser.

Silence.

LIS. — Hier tu t'es entêté à me laisser nue toute la nuit sur la route et c'est pour cette raison, sans doute, que je suis malade.

FANDO. — Mais je l'ai fait pour que tous les hommes qui passaient te voient... pour que tout le monde voie comme tu es jolie.

LIS. — Il faisait très froid. Je grelottais.

FANDO. — Pauvre Lis... Mais les hommes te regardaient et ils se sentaient très heureux et ils devaient sûrement continuer leur chemin plus gaiement.

LIS. — Mais je me sentais très seule et j'avais très froid.

FANDO. — J'étais à côté de toi? Tu ne m'as pas vu? Et beaucoup d'hommes t'on caressée quand je le leur ai demandé. *(Pause.)* Je ne le ferai plus, Lis, je vois bien que ça te déplaît.

LIS. — Tu dis toujours ça.

FANDO. — C'est que tu es bizarre quelquefois et tu ne te rends pas compte que tout ce que je fais c'est pour ton bien. *(Pause. Il se souvient.)* Tu étais très jolie toute nue. C'était un spectacle merveilleux.

LIS. — Le moins drôle c'est toujours pour moi.

FANDO. — Non, Lis. Quel dommage que tu n'aies pas mes yeux pour te voir!

LIS. — Fando, je suis très malade, je me sens très mal.

FANDO. — Que veux-tu que je fasse pour toi, Lis?

LIS. — Maintenant il n'y a plus rien à faire. *(Pause.)* Ce que je veux c'est que tu sois toujours gentil avec moi.

FANDO. — Oui, Lis, je serai gentil.

LIS. — Mais fais un effort.

FANDO. — C'est bon, j'en ferai un.

Pause. Lis aperçoit un renflement dans la poche de Fando.

LIS. — Qu'est-ce que tu portes dans ta poche?

FANDO, *comme un enfant pris en train de faire une sottise essaie de dissimuler.* — Une chose.

LIS. — Dis-moi ce que c'est.

FANDO. — Non, non.

LIS, *autoritaire.* — Montre-moi ce que tu caches.

FANDO. — Ce n'est rien de mal.

LIS. — Je te dis de me le montrer.

Fando sort piteusement de sa poche des menottes en acier.

LIS. — Tu vois : les menottes.

FANDO. — Mais ce n'est pas pour faire quelque chose de mal, c'est seulement pour jouer.

LIS. — Tu vois, tu ne cherches qu'un moment d'inattention de ma part pour me les passer.

FANDO. — Non, Lis, je ne te les passerai pas.

LIS. — Alors, jette-les.

FANDO, *agressivement.* — Non.

Il les remet dans sa poche.

LIS, *prête à pleurer.* — Tu vois comme tu me traites.

FANDO, *très ému.* — Lis, ne pleure pas. Lis, je t'aime beaucoup. Ne pleure pas, Lis.

Lis l'étreint passionnément.

LIS. — Ne m'abandonne pas, Fando, je n'ai que toi. Ne me traite pas si mal.

FANDO, *touché.* — Comme je suis méchant avec toi! Tu vas voir comme je vais être gentil maintenant.

LIS. — Serre-moi dans tes bras, Fando, serre-moi dans tes bras.

Ils s'étreignent avec passion.

LIS. — Je me sens très mal.

FANDO. — Tu vas guérir bientôt et alors nous nous mettrons en route pour Tar et nous serons très heureux et je t'offrirai tous les animaux que tu vois à terre pour jouets : les cafards, les scarabées, les papillons, les petites fourmis, les crapauds... nous chanterons ensemble et je te jouerai du tambour tous les jours.

LIS. — Oui, Fando, nous serons très heureux.

FANDO. — Et nous poursuivrons notre route vers Tar.

LIS. — C'est ça, vers Tar.

FANDO. — Oui, oui, tous les deux ensemble.

Pause. Ils se regardent.

FANDO. — Et quand nous arriverons à Tar, alors tu verras comme nous serons heureux.

LIS. — Comme tu es bon, Fando, et comme tu es gentil avec moi.

FANDO. — Oui, Lis, je ferai tout pour toi, parce que je t'aime beaucoup.

Fando se dirige vers la petite voiture et détache le tambour avec beaucoup de soin. Ensuite, plein de respect, il le montre à Lis.

FANDO. — Regarde le tambour, Lis.

LIS. — Qu'il est joli!

FANDO. — Regarde comme il est rond.

LIS. — Oui, c'est vrai, tout rond.

FANDO. — Eh bien, je l'ai uniquement pour pouvoir te chanter des chansons.

LIS. — Comme tu es bon.

FANDO. — Quand nous arriverons à Tar, comme nous serons très heureux, j'inventerai de nouvelles chansons pour toi.

LIS. — Cette chanson de la plume est très jolie.

FANDO, *flatté*. — Bah, ça n'a pas d'importance. J'en inventerai d'autres beaucoup plus belles. D'autres dans lesquelles je parlerai non seulement de plumes, mais aussi *(il réfléchit)* de plumes d'oiseaux et aussi de... plumes d'aigle et aussi *(il réfléchit, mais ne trouve rien)*... et aussi...

LIS. — Et aussi de marchés de plumes.

FANDO, *content.* — Oui, oui, et aussi de marchés de plumes et aussi de... de... de... ah, et aussi de plumes.

LIS. — Quelles jolies chansons!

FANDO. — Je ferai tout pour toi.

LIS. — Tu le feras pour moi?

FANDO. — Oui, Lis.

LIS. — Comme tu es bon, Fando.

Pause. Fando sort soudain les menottes et les regarde avec nervosité.

LIS, *doucement.* — Ne me fais pas souffrir.

FANDO, *très durement.* — Pourquoi penses-tu que je vais te faire souffrir?

LIS, *doucement.* — Ne me parle pas sur ce ton, Fando.

FANDO, *très en colère, se lève et lui répond.* — Je te parle toujours sur le même ton.

LIS. — Que cherches-tu?

FANDO, *violemment.* — Rien.

LIS. — Si, tu cherches à faire quelque chose de mal. Je le vois bien.

FANDO, *violemment.* — Te voilà encore avec tes histoires.

LIS, *humblement.* — Je vois bien que tu veux me passer les menottes. Ne fais pas cela, Fando.

Elle sanglote.

FANDO, *avec aigreur.* — Ne pleure pas.

LIS, *elle fait des efforts pour ne pas pleurer.* — Non, je ne pleurerai pas, mais ne me passe pas les menottes.

FANDO, *irrité.* — Tu te méfies toujours de moi.

LIS, *avec douceur.* — Non, je ne me méfie pas de toi. *(Pleine de sincérité, elle ajoute :)* Je te crois.

Fando fait quelques pas entre la petite voiture et Lis. Elle pleure.

FANDO, *autoritaire.* — Donne-moi tes mains.

LIS. — Non, ne fais pas cela, Fando, ne me passe pas les menottes.

Lis tend ses mains. Fando lui passe les menottes avec nervosité.

FANDO. — C'est mieux ainsi.

LIS. — Fando. *(Très tristement.)* Fando.

FANDO. — Je te les ai passées pour voir si tu peux te traîner avec elles. Allons, essaie de te traîner.

LIS. — Je ne peux pas, Fando.

FANDO. — Essaie.

LIS. — Fando, ne me fais pas souffrir.

FANDO, *hors de lui.* — Je te dis d'essayer. Traîne-toi.

Lis essaie de se traîner, mais elle ne peut pas : ses mains entravées par les menottes l'en empêchent.

LIS. — Je ne peux pas, Fando.

FANDO. — Essaie, ou il t'arrivera des choses plus graves.

LIS, *doucement.* — Ne me bats pas, Fando, ne me bats pas.

FANDO. — Essaie, te dis-je.

Lis fait un grand effort sans résultat.

LIS. — Je ne peux pas, Fando.
FANDO. — Essaie encore.
LIS. — Je ne peux pas, Fando. Laisse-moi. Ne me fais pas souffrir.
FANDO. — Essaie, ou il t'arrivera des choses plus graves encore.
LIS. — Ne me bats pas. Surtout ne me bats pas avec la ceinture.
FANDO, *irrité.* — Essaie.
LIS. — Je ne peux pas.

Fando va à la petite voiture pour y prendre une ceinture de cuir.

FANDO. — Essaie ou je te battrai.
LIS. — Fando, ne me bats pas. Je suis malade.

Fando frappe Lis avec violence.

FANDO. — Traîne-toi.

Lis fait un suprême effort et parvient à se traîner. Fando la regarde, palpitant d'émotion.

LIS. — Je n'en peux plus.

FANDO. — Encore, encore.
LIS. — Ne me bats plus.
FANDO. — Traîne-toi.

Fando la frappe encore. Lis se traîne en chancelant, elle fait un faux mouvement, ses mains attachées heurtent le tambour et en déchirent la peau.

FANDO, *en colère.* — Tu as déchiré mon tambour. Tu as déchiré mon tambour.

Fando la frappe. Elle tombe évanouie, elle crache du sang. Fando, irrité, prend le tambour, s'écarte d'elle et se met à le réparer avec du fil et une aiguille. Lis, étendue, inerte, et les mains attachées sur la poitrine, repose au centre de la scène. Long silence. Fando travaille. Entrent les trois hommes au parapluie. Ils s'approchent de la femme. Ils l'observent avec beaucoup d'attention et tournent autour d'elle. Fando absorbé par la réparation du tambour, ne les voit pas, et eux ne l'aperçoivent pas non plus.

MITARO. — Regarde ce qu'elle a aux mains.
NAMUR *soulève les mains de Lis pour bien voir les menottes.* — Ce sont des menottes.
MITARO. — Ça fait vraiment joli.
NAMUR. — Pas très.

MITARO. — Quel besoin as-tu de me contredire?
TOSO, *les interrompant et d'une voix froide.* — Elle a du sang sur la bouche.

Mitaro et Namur regardent attentivement la bouche de Lis.

MITARO. — C'est bien vrai.
NAMUR. — Ça c'est bizarre.

Namur prend les lèvres de Lis avec les doigts comme avec des pinces et lui ouvre la bouche. Mitaro met son doigt dans la bouche. Puis il le retire et le flaire.

MITARO. — C'est l'odeur du sang.
NAMUR. — Comme tout cela est étrange!

Mitaro touche avec ses doigts les dents de Lis.

MITARO. — Regarde quelles petites dents elle a! Comme elles sont dures!
NAMUR. — Les dents sont toujours dures.

Mitaro prend la langue de Lis et l'étire avec ses doigts.

MITARO. — Regarde comme sa langue est jolie! Comme elle est moelleuse!

NAMUR. — Les langues sont toujours ainsi.

MITARO. — Il faut toujours que tu dises quelque chose.

Mitaro et Namur cessent de palper la bouche de Lis. Ils soulèvent maintenant ses jupes et regardent ses genoux avec attention.

MITARO. — Quels genoux!

NAMUR. — Comme tous les genoux.

Mitaro parcourt avec les doigts la topographie des genoux de Lis.

MITARO. — Regarde la fossette ici.

Namur constate la présence de la fossette tandis que Toso colle son oreille à la poitrine de Lis et écoute attentivement.

TOSO, *d'un ton froid.* — Elle est morte.

MITARO. — Te voilà encore avec tes histoires.

TOSO, *froidement.* — Elle est morte puisqu'on n'entend plus son cœur.

MITARO. — Voyons!

TOSO. — Et elle ne respire plus.

Namur appuie son oreille contre la poitrine de Lis.

NAMUR. — Eh bien, c'est vrai, on n'entend plus son cœur.

MITARO. — Alors, elle est morte ?

TOSO. — Sans doute.

NAMUR. — Il faudra le dire à Fando.

MITARO. — Bien sûr.

Namur et Mitaro se dirigent vers Fando qui travaille énergiquement pour essayer de recoudre le tambour déchiré.

NAMUR, *à Fando.* — Tu sais, Lis est morte.

FANDO, *abasourdi.* — Lis est morte ?

NAMUR. — Oui.

Fando se dirige vers Lis. Il la regarde avec respect, s'approche d'elle avec une grande tristesse. Il l'étreint, la redresse. La tête de Lis retombe, inerte. Fando ne dit rien. (Les trois hommes au parapluie, debout et graves, se sont découverts.) Fando la repose à terre avec grand soin puis il arrange sa robe. Fando est au bord des larmes. Soudain il appuie son front contre le ventre de Lis. Bien qu'on n'entende rien, il est très probable qu'il pleure.

RIDEAU

CINQUIÈME TABLEAU

Sur scène, les trois hommes au parapluie.

MITARO. — Il lui avait promis, quand elle mourrait, d'aller la voir au cimetière avec une fleur et un chien.

NAMUR. — Non, ce n'est pas cela. Ce qui s'est passé c'est qu'elle lui avait dit qu'elle voulait se suicider et il lui avait répondu que c'était ce qu'elle pouvait faire de mieux. Alors elle et ses deux compagnons ont tué l'homme aux billets pour pouvoir payer l'échéance du triporteur. Et alors ils sont allés s'acheter des sandwiches aux anchois et payer l'échéance, mais les flics sont venus les chercher et, bien qu'ils n'y aient point vu malice, ils ont été arrêtés.

MITARO. — Oui, je me rappelle que l'un d'eux passait son temps à dormir et qu'il disait ne pas vouloir penser parce que c'est ennuyeux et alors son ami lui a dit qu'il ferait mieux de penser à des histoires drôles et il a répondu qu'il ne savait pas... *(Réfléchissant.)* Mais ceci est une autre histoire toute différente. Celle dont je parle c'est de l'histoire de l'homme qui conduisait dans une petite voiture une femme paralysée pour atteindre Tar. Je me rappelle qu'il lui a dit qu'il était très difficile d'arriver à Tar mais qu'ils essaieraient, mais plus tard il lui a dit que, lorsqu'ils arriveraient, il composerait pour elle beaucoup de jolies chansons comme celle de la plume et qu'il les lui jouerait en s'accompagnant au tambour et alors ils se sont embrassés

NAMUR. — Non, alors elle a découvert qu'il portait dans sa poche des menottes pour les lui passer. Il a dit que ce n'était rien du tout mais il les a gardées. Alors elle s'est fâchée et elle lui a dit que...

MITARO. — Non, non, tu changes tout, tu oublies tout et tu mélanges tout. Ce qui s'est passé c'est qu'après il est arrivé un flic qu'on ne comprenait pas très bien et le vieux joueur de flûte a dit qu'il ne le comprenait pas parce qu'il était bête comme ses pieds et l'autre s'est mis en colère. *(Pause.)* Et c'est à ce moment-là que sont arrivés les deux hommes, dont l'un jouait de l'harmonium et l'autre de la machine à écrire.

NAMUR. — Ah, oui, je m'en souviens bien, ils étaient dans un cimetière de voitures. Et leur vie était très triste parce qu'ils ne pouvaient pas échanger leurs instruments.

MITARO. — Mais si, mais si, ils pouvaient.

NAMUR. — Mais c'était après. Et puis aussitôt l'homme intelligent est venu et il leur a fait voir ce qu'il savait et ils en sont restés tout bêtes.

MITARO. — Non, non, alors, ce qui est arrivé, c'est qu'elle et lui se sont mis à jouer à penser. Mais comme il ne savait pas prendre une bonne position, il pensait très mal et quand elle lui a montré dans quelle position il fallait se mettre, il n'a pu penser qu'à la mort.

TOSO. — Ce qui s'est passé c'est que nous sommes réfugiés sous un parapluie et que nous avons essayé d'aller à Tar. Mais vous avez tellement discuté sur les précautions à prendre que finalement, quand nous sommes partis, nous avions un trop grand retard, comme toujours.

Namur et Mitaro ont suivi les paroles de Toso en manifestant clairement leur dépit.

NAMUR, *l'interrompant.* — Et tout ça à quel propos?
MITARO. — Tu vois comme tu nous déranges toujours.

Toso se tait.

NAMUR. — Il n'y a rien à faire avec lui.
MITARO. — Il ne faut plus faire attention à lui, pas plus que s'il n'existait pas.
NAMUR. — Où en étions-nous?
MITARO. — Je disais qu'il avait promis d'aller la voir au cimetière avec une fleur et un chien.
NAMUR. — Non, c'était avant. Ce que je te racontais c'était que la jeune fille est devenue mélancolique quand elle a vu qu'il ne savait pas faire l'âne, même pas avec la queue.
MITARO. — Oui, c'est ça, elle est devenue mélancolique. *(Il réfléchit.)* Mais ce qui est arrivé c'est qu'elle a soulevé ses jupes pour attirer l'homme aux billets et alors l'homme s'est approché et ils l'ont tué en sautant la clôture.
NAMUR. — Non, mon vieux, non ; ce qui s'est passé c'est qu'ils ne trouvaient pas de méthode pour classer tout et que, de plus, ils se faisaient du souci parce qu'elle les avait avertis que si elle trouvait le plan mauvais elle le dirait sans égard pour personne. Et alors il a trouvé que la meilleure chose à faire, c'était de tout mesurer.

Entre Fando avec une fleur et un chien au bout d'une corde. Les hommes au parapluie se taisent et le suivent des yeux tandis qu'il traverse la scène sans rien dire et sans s'arrêter, lentement. (Peut-être est-il fatigué, il en a l'air.)

NAMUR. — Nous allons l'accompagner.
MITARO. — Oui.
TOSO. — Et quand allons-nous à Tar?

NAMUR. — Il nous faut d'abord l'accompagner. Ensuite nous nous mettrons en route tous les quatre.

MITARO. — Oui, tous ensemble.

Les trois hommes réfugiés sous le parapluie se mettent en marche derrière Fando. Au milieu de la scène, ils s'arrêtent et se découvrent. Ils se remettent aussitôt en marche et quittent la scène.

RIDEAU

Novembre, décembre 1955 (Madrid, Paris).

Le cimetière des voitures

PERSONNAGES

LASCA, femme d'âge mûr.

TIOSSIDO, tout jeune homme.

MILOS, valet de chambre d'une quarantaine d'années, très distingué.

DILA, jeune femme de vingt-cinq ans, jolie.

EMANOU, trompettiste de trente-trois ans.

TOPÉ, clarinettiste d'environ trente ans.

FODÈRE, saxophoniste d'environ trente ans, muet.

La pièce se déroule sur une esplanade devant un cimetière de voitures. Au fond, des automobiles. Grâce au dénivellement du terrain, on voit parfaitement au loin de nombreuses automobiles entassées les unes sur les autres.

Elles sont toutes vieilles, sales et rouillées. Les voitures au premier rang n'ont pas de vitres mais des rideaux en toile de sac.

Pour les distinguer, on les appelle : « voiture 1 », « voiture 2 », « voiture 3 », « voiture 4 » et « voiture 5 ».

En avant et à droite de la scène, la « voiture A ». Elle aussi est garnie de rideaux en toile de sac en guise de vitres. Sur le toit de la voiture s'élève une cheminée. Devant la « voiture 2 », une paire de chaussures trouées et très sales.

PREMIER ACTE

Dila sort de la « voiture A », une clochette à la main.

DILA, *s'adressant aux occupants des voitures en agitant sa clochette avec énergie.* — Au lit tout le monde. Je ne veux même pas entendre une mouche voler. Au lit tout le monde.

On entend des protestations et des murmures de réprobation à l'intérieur des voitures.

DILA. — Comment ? Ces messieurs dames protestent ? *(Dila s'arrête un moment pour mieux écouter. Après un bref silence un léger murmure s'élève de la voiture 3.)* Taisez-vous !

VOIX D'HOMMES *(voiture 3).* — Mais nous faisons nos prières et rien d'autre.

DILA *(passant la tête sous les rideaux en toile de sac de la voiture 3).* — Croyez-vous que je ne me rende pas compte de tout? Vous faites un joli couple tous les deux. *(Au milieu de l'esplanade elle s'écrie à l'adresse de tous :)* Celui qui veut prier qu'il prie mais en silence. *(Nouveaux murmures de réprobation.)* Silence! Au lit tout le monde! Et que je n'aie pas à me lever cette nuit à cause de ces « messieurs dames ».

Dila agite plusieurs fois sa clochette et entre dans la voiture A.

Murmures de réprobation. Silence.

Tiossido, caricature de l'athlète, entre à droite au pas de gymnastique : sa démarche est aussi une caricature de l'athlétisme. Tenue sportive. Il est très jeune.

Sur la poitrine, il porte le numéro 456. Il traversera la scène de droite à gauche. Lasca tantôt le suit, tantôt le précède de très peu. C'est une femme d'âge mûr, elle est habillée d'une façon banale, elle a les cheveux blancs.

Elle paraît infatigable. Elle donne toutes sortes de conseils à Tiossido.

LASCA. — La poitrine. *(Peu après.)* La respiration, n'oublie pas, la respiration. *(Peu après.)* Un, deux, un, deux, un, deux, un, deux. Le menton. *(Peu après.)* Et surtout n'oublie pas la respiration. Un, deux, etc.

Lasca est infatigable. Tiossido semble de plus en plus épuisé. Ils traversent la scène de droite à gauche et sortent à gauche. On entend encore le « un deux » de Lasca. Silence. Tout à coup, de la « voiture 3 » s'élèvent des bruits. A l'intérieur, on allume une bougie. Le rideau en toile de sac laisse passer une lueur. Dans la « voiture 3 », un homme et une femme d'environ soixante-dix ans, invisibles au public, sont en train de parler.

VOIX DE FEMME. — Qu'est-ce qu'il t'arrive, mon ange?
VOIX D'HOMME. — Je ne peux pas dormir commodément. Il y a quelque chose qui me gêne.
VOIX DE FEMME. — Ça doit être le volant qui s'est encore enfoncé dans tes reins.
VOIX D'HOMME. — Non, ce n'est pas ça. Je suis mal placé.
VOIX DE FEMME. — Tu veux changer avec moi?
VOIX D'HOMME. — Si tu veux.

Grand remue-ménage. On entend des bruits de ressorts rouillés, de ferraille, de coups. Voix de l'homme et de la femme : « Allons », « Ne pousse pas », « Ce n'est pas moi qui pousse », « Attention à ma jambe », « Aïe », etc. *Après quelques plaintes dues à l'effort, le calme se rétablit.*

VOIX DE FEMME. — Tu es bien, mon ange?
VOIX D'HOMME. — Oui, beaucoup mieux.
VOIX DE FEMME. — Tu veux quelque chose d'autre?
VOIX D'HOMME. — Non, peut-être va-t-on pouvoir dormir tranquille. *(Très courte pause.)* Tu as demandé qu'on nous serve le petit déjeuner au lit, demain matin?
VOIX DE FEMME. — Ah, non! J'ai oublié. Ça ne fait rien, j'appelle tout de suite le valet de chambre.

Bruits de ressorts. On entend le klaxon de la « voiture 3 ». Deuxième coup de klaxon. De la

« voiture A » sort un valet de chambre bien habillé, l'air très bien élevé. Il s'appelle Milos. Il se dirige vers la « voiture 3 ». Il passe la tête sous le rideau en toile de sac, après avoir discrètement frappé à la portière.

MILOS. — Monsieur et Madame désirent ?

VOIX DE FEMME. — Nous avons oublié de vous commander le petit déjeuner.

MILOS. — Monsieur et Madame désirent-ils être servis au lit ?

VOIX DE FEMME. — Bien sûr.

MILOS. — Que prendront Monsieur et Madame au petit déjeuner ?

VOIX DE FEMME, *au mari.* — Qu'est-ce que tu veux ?

VOIX D'HOMME. — Un petit verre d'eau-de-vie.

VOIX DE FEMME. — Alors, apportez-nous deux petits verres d'eau-de-vie.

MILOS. — Je suis désolé pour Madame et Monsieur, mais nous n'avons pas d'eau-de-vie.

VOIX D'HOMME, *l'air irrité.* — Pas d'eau-de-vie ! Dans quel taudis sommes-nous tombés ! Pas d'eau-de-vie ! Je t'avais bien dit que cet endroit-là ne me plaisait pas du tout. Mais tu t'es entêtée. *(A Milos.)* Qu'est-ce que vous avez, alors ?

MILOS. — Nous avons du chewing-gum, une gaufrette, des haricots verts et du zan à volonté.

VOIX D'HOMME. — Et de l'eau, vous en avez ?

MILOS. — Oui, Monsieur, autant que Monsieur en désire.

VOIX D'HOMME. — Alors apportez-nous deux verres d'eau bien chaude.

MILOS. — Monsieur et Madame veulent-ils des petits verres ou des grands ?

VOIX D'HOMME. — Des grands.

MILOS. — Monsieur et Madame désirent-ils quelque chose d'autre ?

VOIX D'HOMME. — Non, c'est tout.

MILOS. — Je me tiens à la disposition de Monsieur et

Madame. Un simple appel suffit. Je souhaite une bonne nuit à Madame et Monsieur.

Milos retourne à la « voiture A ». Il aperçoit la paire de chaussures qui se trouve à la porte de la « voiture 2 ». Il les prend, les examine, les pose sur le moteur. Il sort une brosse de la « voiture A ». Il revient vers la « voiture 2 ». Il prend une des chaussures. Il crache dessus avec beaucoup d'élégance. Puis il s'applique à étendre la salive sur toute la chaussure avec la brosse. Enfin il les fait briller.
Pendant qu'il frotte, entrent en scène à droite, Lasca et Tiossido. Tiossido est toujours habillé en athlète, il va toujours au pas de gymnastique, il semble encore plus épuisé que la fois précédente. Lasca, plus fraîche que jamais, continue à prodiguer ses conseils à Tiossido.

LASCA. — La respiration! Allons, la respiration! *(Un temps.)* Bombe la poitrine. *(Un temps.)* Tiens-toi droit, ne te penche pas en avant! Un, deux, un, deux, un, deux.

Ils traversent la scène de droite à gauche. Ils sortent à gauche.
Milos n'a même pas remarqué leur présence. Il continue, infatigable, à nettoyer les chaussures, sans se départir un seul moment de ses bonnes manières.
Milos, après avoir nettoyé les chaussures, retourne à la « voiture A ».
Avant qu'il entre, Dila sort de cette même voiture.

MILOS. — Va faire ce que je t'ai dit.

DILA. — Permets-moi de ne pas le faire aujourd'hui.
MILOS, *en colère.* — Tends la main.

Dila s'exécute craintivement. Milos lui tape sur les doigts avec une règle.

MILOS. — L'autre main!

Dila tend son autre main à Milos. Milos lui tape encore sur les doigts.

MILOS. — Et maintenant, va faire ce que je t'ai dit.

Dila, presque en larmes, se dirige vers la « voiture 1 ». Elle passe la tête sous le rideau de toile de sac. Milos, qui se tient près de la « voiture A », la regarde.

DILA. — Monsieur, laissez-moi vous embrasser. *(Bruit de baiser.)* Merci!

Dila toujours au bord des larmes se dirige vers la « voiture 2 ». Elle passe la tête sous le rideau.

DILA. — Vous ne dormez pas encore? Qu'avez-vous?

VOIX D'HOMME *(grognon)*. — Quand vas-tu cesser de m'embêter. J'en ai assez de cette comédie qui se répète tous les soirs.

DILA. — Embrassez-moi!

VOIX D'HOMME. — Je t'ai déjà dit non mille fois, faut-il que je te le redise?

DILA. — Je vous en prie.

VOIX D'HOMME. — Je te dis de me laisser tranquille.

On a l'impression que Dila se débat pour embrasser quand même. Elle y parvient enfin. Milos assiste à la scène l'air satisfait.
Dila se dirige vers la « voiture 3 ». Elle passe la tête sous le rideau. On l'entend embrasser quelqu'un. Aussitôt commence le dialogue suivant :

VOIX DE FEMME. — Qu'est ce que c'est?

VOIX D'HOMME. — Rien.

Dila se dirige vers la « voiture 4 ». Elle passe la tête sous le rideau. On entend un baiser.

VOIX D'HOMME. — Encore un.

On entend un baiser.

VOIX D'HOMME. — Merci.

Dila se dirige vers la « voiture 5 ».
Milos la regarde toujours d'un air satisfait.

DILA. — Monsieur, laissez-moi vous embrasser. *(Baiser.)* Merci.

Dila, presque en larmes, revient vers Milos.

MILOS. — Et que je ne t'y reprenne plus à oublier mes ordres.

Dila, au bord des larmes, ne répond pas. Tous deux se dirigent vers la « voiture A ». Milos prend très tendrement Dila par les épaules. Ils entrent dans la « voiture A ».

Silence. Ronflements.

A droite, entre Tiossido au pas de gymnastique encore plus épuisé que la fois précédente. Lasca le précède, en marquant le pas, infatigable.

LASCA. — Un, deux, un, deux, un, deux, un, deux, un, deux, un, deux, un, deux, un, deux...

Ils traversent la scène de droite à gauche. Ils disparaissent à gauche.

Silence. Ronflements.

A gauche entre Emanou une trompette à la main. Il porte à l'autre bras un panier à ouvrage qu'il pose par terre. Emanou joue de la trompette. Dans le silence, la musique retentit longuement. Lorsque Emanou commence à jouer, Dila toute contente passe la tête par la portière et le regarde pleine d'enthousiasme. Milos referme violemment le rideau en toile de sac et fait rentrer Dila dans la « voiture A ». La trompette se tait.

Silence.

Au fond, à droite, on entend jouer de la clarinette. Emanou recommence à jouer. Il semble heureux.

Silence.

Au fond et à gauche, quelqu'un joue du saxophone. Aussitôt on entend la clarinette, puis la trompette d'Emanou.

Silence.

Topé entre en scène à droite, une clarinette à la main. A gauche, entre Fodère avec un saxophone dans une main et trois chaises longues pliées dans l'autre. Fodère est muet. Ils se saluent gaiement.

EMANOU. — Il y a un bout de temps que je vous attendais.
TOPÉ. — Tu ne peux pas dire que nous arrivons en retard.

Fodère ouvre les trois chaises longues. Les trois amis s'installent confortablement. Bien que Fodère soit muet, il a beaucoup d'expression. Sa mimique est très gaie. Il est presque toujours d'accord avec Emanou qu'il semble admirer beaucoup. Emanou tire de son panier à ouvrage tout ce qu'il faut pour tricoter : il fait un pull-over. Fodère dévide l'écheveau que Topé a passé entre ses poignets.

TOPÉ. — Tu sais à quelle heure nous devons jouer?
EMANOU. — Dans un moment.
TOPÉ — On va venir nous arrêter?
EMANOU. — C'est ce qu'on dit. *(Un temps.)* Mais nous nous sauverons comme toujours.
TOPÉ. — Le bal va durer longtemps?
EMANOU. — Jusqu'au petit jour.
TOPÉ — On va en avoir plein le dos de jouer!
EMANOU. — Il faut le faire.
TOPÉ. — On devrait chercher un autre métier, mieux payé.
EMANOU. — J'ai déjà pensé à ça.
TOPÉ. — Et tu as une idée?
EMANOU. — On pourrait se faire voleurs.
TOPÉ. — Comme ceux qui cambriolent?
EMANOU. — Bien sûr.
TOPÉ, *surpris et satisfait.* — Non?
EMANOU. — Comme ça, nous aurions beaucoup

d'argent. Plus besoin de jouer pour les distraire. On leur donnerait tout et plus d'histoires.

TOPÉ, *tout à coup.* — Et on pourrait être aussi assassins?

EMANOU. — Pourquoi pas?

TOPÉ, *l'air satisfait.* — On parlerait de nous dans les journaux.

EMANOU. — Tu en doutes?

TOPÉ. — Mais devenir un assassin ça doit être vraiment difficile.

EMANOU. — Bien plus que d'être voleurs, sans comparaison. Et puis, il faut avoir de la chance.

TOPÉ. — Tu as raison. Un crime doit être quelque chose de terriblement compliqué.

EMANOU. — Et il y a toujours un tas d'histoires : les taches de sang, les empreintes...

TOPÉ, *lui coupant la parole avec un rire bête.* — Ah bien oui, les empreintes, j'ai déjà entendu parler de ça.

EMANOU. — Et puis le pire c'est que presque toujours la victime pousse des cris, d'après ce que j'ai entendu dire.

TOPÉ. — Des cris?

EMANOU. — Oui, elle ne veut pas qu'on la tue.

TOPÉ, rêveur. — Ça doit être très joli.

EMANOU. — Oui, mais je te dis : c'est très difficile et très dangereux.

TOPÉ. — Et personne ne peut tuer sans être pris?

EMANOU. — Bien sûr que si. Tout est très bien organisé. Il y a un moyen mais il faut faire beaucoup d'études.

TOPÉ. — Comment ça?

EMANOU. — On peut être juge.

TOPÉ. — Ils gagnent de l'argent comme les assassins?

EMANOU. — Oui, beaucoup.

TOPÉ. — Et qui est-ce qu'ils tuent, les juges?

EMANOU. — Ils tuent ceux qui font de mauvaises actions.

TOPÉ. — Et comment font-ils pour savoir que c'est mal?

EMANOU. — Ils sont très malins.

TOPÉ, *étonné.* — Il faut qu'ils le soient. *(Un temps).*

Mais écoute ils savent toujours, toujours, toujours si c'est mal?

EMANOU. — Oui, toujours, toujours, toujours. Je t'ai déjà dit qu'ils sont très malins et puis ils font beaucoup d'études, ils ont au moins le bac et tout ce qui s'ensuit.

TOPÉ, *étonné*. — Dans ces conditions, je comprends.

A l'intérieur de la « voiture 2 » quelqu'un klaxonne. Emanou et Topé se taisent et attendent. On entend encore deux coups de klaxon.
Milos sort de la « voiture A » toujours impeccablement habillé en valet de chambre. Les trois amis contemplent la scène. Milos se dirige vers la « voiture 2 ». Il passe la tête sous le rideau en toile de sac.

MILOS. — Monsieur désire?

VOIX D'HOMME, *sèche et autoritaire*. — Une femme.

MILOS. — J'en amène une tout de suite à Monsieur. Monsieur désire-t-il autre chose? *(Silence.)*. Je souhaite une bonne nuit à Monsieur.

Milos entre dans la « voiture A ». Aussitôt sort, au bord des larmes, Dila qui, en combinaison, se dirige vers la « voiture 2 ». Elle passe la tête sous le rideau.

DILA. — Bonne nuit, Monsieur...

Avant qu'elle puisse terminer sa phrase une main la happe violemment vers l'intérieur. Dila disparaît dans la « voiture 2 ». Emanou, Topé et

Fodère ont contemplé la scène avec curiosité, mais sans la moindre surprise.

TOPÉ. — Tu comprends, Emanou, cette histoire de jouer toutes les nuits à n'en plus finir commence à me fatiguer.

EMANOU. — Mais, Topé, il faut bien que les pauvres dansent aussi. Et comme ils n'ont pas d'argent pour aller au bal...

TOPÉ. — Bien sûr, c'est nous qui prenons.

EMANOU. — Qu'est-ce que ça peut te faire? Comme nous sommes les seuls à savoir jouer...

TOPÉ. — Oui, une fois, deux fois, même un an si tu veux. Mais il y a combien d'années que nous venons toutes les nuits?

EMANOU. — Il y a longtemps que je ne les compte plus.

TOPÉ. — Moi non plus. D'ailleurs comme c'est interdit de jouer en plein air nous courons le risque de nous faire mettre en prison comme si ce n'était pas suffisant. Tu sais que cette nuit ils viendront sûrement nous arrêter.

EMANOU. — Ne te fais aucun souci. Les amis nous feront signe et nous pourrons nous sauver.

TOPÉ. — C'est trop risqué! Et puis, cette mode que tu as lancée de leur tricoter des pulls pour l'hiver et de leur cueillir des marguerites pour savoir si leur petite amie les aime quand ils sont amoureux. Je t'assure que moi aussi j'aimerais bien être un pauvre du quartier.

EMANOU. — N'oublie pas qu'il faut être bon.

TOPÉ. — Mais à quoi ça va-t-il nous servir?

EMANOU. — Eh bien, quand on est bon *(il récite comme s'il avait appris une leçon par cœur)*, on ressent une grande joie intérieure née de la paix de l'esprit dont on jouit lorsqu'on se voit semblable à l'image idéale de l'homme.

TOPÉ, *enthousiaste.* — Tu es formidable! Tu ne te trompes jamais d'un iota! Et puis tu dis tout sans respirer, c'est encore plus difficile.

EMANOU. — Bien sûr, puisque je l'ai appris par cœur.

Silence.

TOPÉ. — Moi, je crois que pour empêcher les pauvres de souffrir il faudrait les tuer tous.

EMANOU. — Ça fait longteuups que les autres essaient et n'y arrivent pas, et pourtant ils ont le bras très long.

TOPÉ. — Alors, il n'y a pas de solution?

EMANOU. — Nous, nous ne la connaissons pas encore. Il faudra continuer à jouer toutes les nuits.

TOPÉ. — L'ennui, c'est que les autres t'en veulent, tu le sais bien. Depuis que l'autre jour tu as fait manger tout le bal avec un seul pain et une boîte de sardines, ils enragent. Les flics et eux ne vont pas te laisser un instant de repos.

A droite entre Tiossido, épuisé par l'effort, au pas de gymnastique. Lasca le suit, infatigable, et lui donne des conseils. Elle porte un gros réveil.

LASCA. — Encore un petit effort et tu bats le record. *(Un temps.)* Encore un tout petit effort et tu bats le record. *(Un temps.)* Continue, continue. *(Un temps.)* Tu vas voir que cette fois-ci tu vas vraiment battre le record.

Lasca et Tiossido traversent la scène de droite à gauche. Ils sortent à gauche. Pendant le temps que Lasca et Tiossido ont mis à traverser la scène les trois amis ont cessé de parler et les regardent avec curiosité mais sans la moindre surprise.

EMANOU. — Mais si on ne joue pas, qui jouera?

TOPÉ. — Pour ça, oui, tu as raison.

EMANOU. — Et puis avec le froid qu'il fait la nuit en ce moment, s'ils ne dansent pas, tu te rends compte...

TOPÉ. — A qui le dis-tu, je suis comme un glaçon quand je joue de la clarinette.

EMANOU. — Et je t'ai dit mille fois que ce n'était pas un travail fixe. Dès que nous trouverons quelque chose de plus profitable pour eux et de moins fatigant pour nous, fini la musique toutes les nuits.

Des coulisses, à gauche, on entend des voix irritées qui s'écrient :

— Alors ces musiciens, ils vont venir, oui ou non? Nous en avons assez d'attendre.

— Est-ce que maintenant ils vont arriver un peu plus tard tous les soirs?

— Il y a de l'abus.

— *(Tous en cœur.)* Mu-sique! Mu-sique! Mu-sique! Mu-sique!...

TOPÉ. — Tu les entends?

EMANOU. — C'est vrai, comme ils sont fâchés.

TOPÉ. — Et si on n'y va pas tout de suite je ne sais pas ce qu'ils sont capables de faire.

EMANOU. — Attendez un peu que je finisse mon rang. *(Emanou tricote rapidement pour terminer son rang le plus vite possible.)*

On entend toujours des voix de plus en plus violente au fond, à droite :

— *(Tous.)* Mu-sique! Mu-sique! Mu-sique! Mu-sique!

— *(Une voix.)* Mais que font ces sacrés musiciens qui n'arrivent pas?

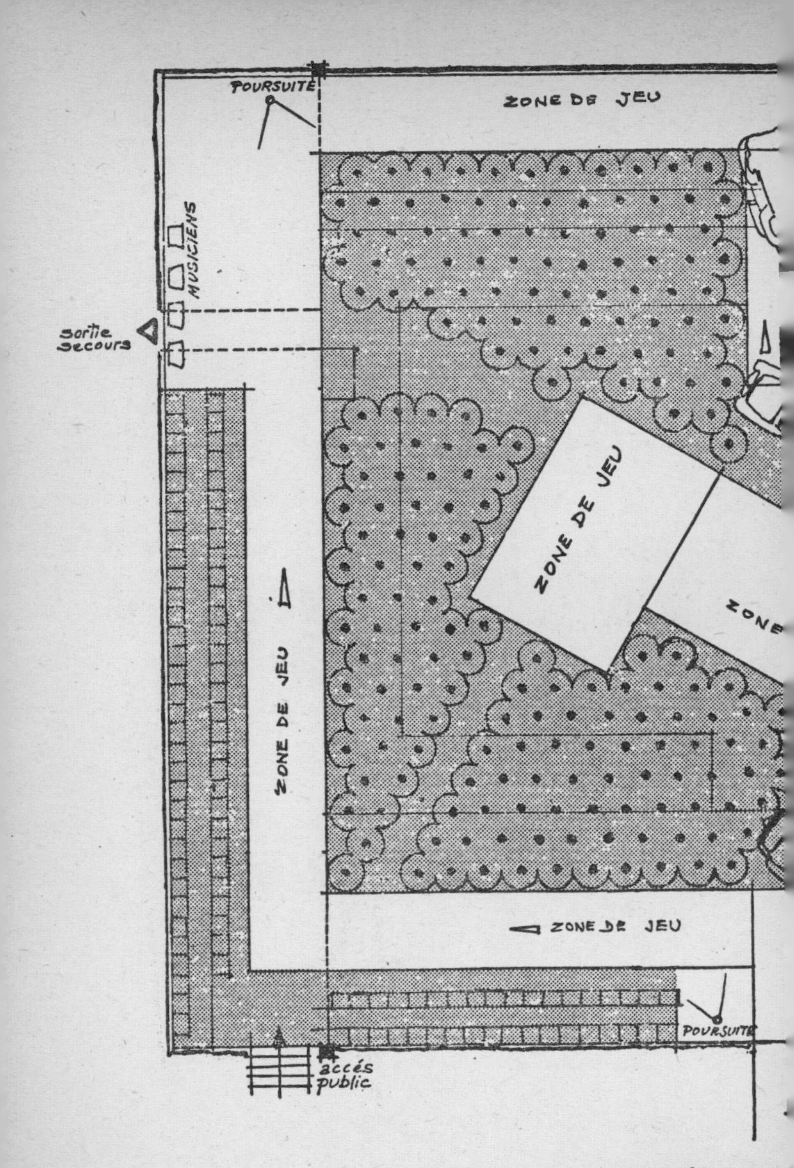

« LE CIMETIÈRE DES
Mise en scène
Décor, costumes, espace scénique Victor

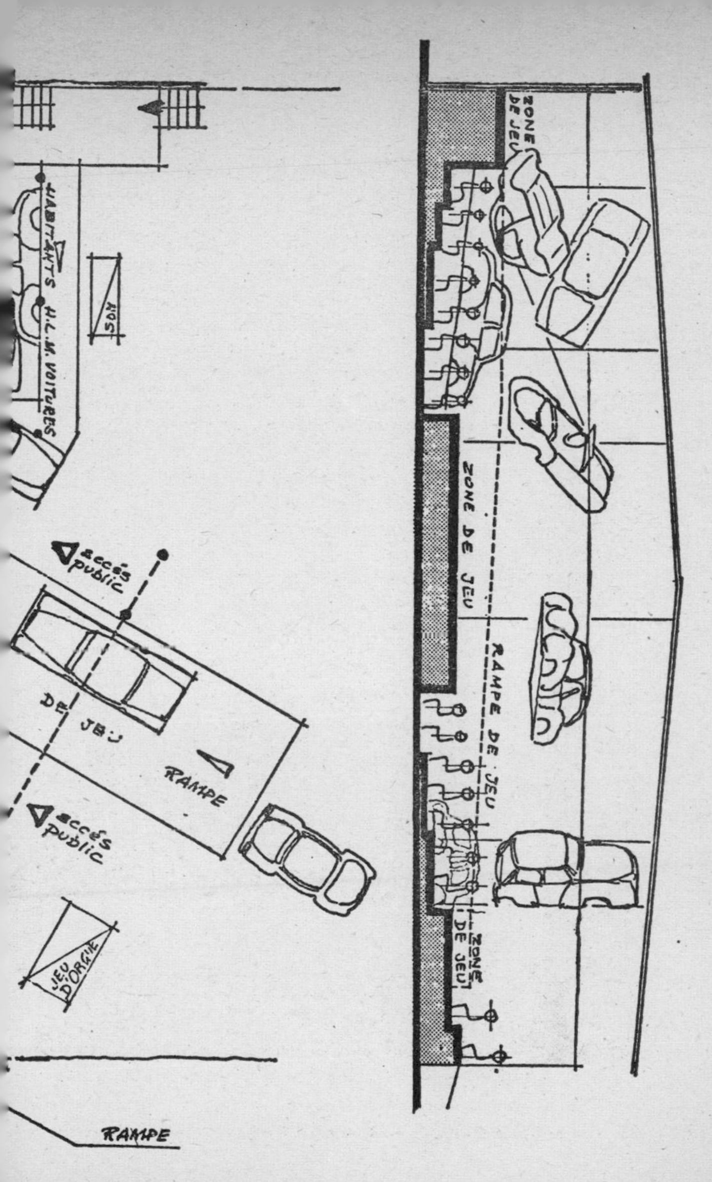

OITURES » DE ARRABAL
ictor GARCIA
ARCIA, Michel LAUNAY, Nestor de ARZADUN

TOPÉ. — Allons, viens, ils vont nous lyncher.

EMANOU. — Violents comme ils sont!

TOPÉ. — Bien sûr, c'est notre faute, on devrait déjà être sur l'estrade.

EMANOU. — Allez-y. Je vous rejoindrai quand j'aurai terminé.

TOPÉ. — C'est bon. A tout à l'heure.

Topé et Fodère sortent à droite. Bientôt les hommes qui criaient se mettent à siffler. On entend tout de même quelques applaudissements isolés. Peu après commence la musique. Les airs sont joués assez doucement. Rien que du jazz et du rock and roll.
Dès que Topé et Fodère quittent la scène, Emanou court à droite pour s'assurer que ses amis sont bien sortis et ils s'approchent aussitôt de la « voiture 2 ».

EMANOU, *en un murmure.* — Dila! Dila!

Silence.

VOIX D'HOMME, *à l'intérieur de la « voiture 2 », méprisant.* — Attendez un peu, merde. Elle va sortir.

Silence.

Emanou attend avec beaucoup d'impatience. Dila passe enfin la tête. Elle s'apprête à sortir. Tout à coup une main la happe vers l'intérieur.

Silence.

Emanou attend avec impatience. Enfin Dila sort de la « voiture 2 », cette fois assez violemment, sans doute poussée de l'intérieur. Elle tombe par terre. Emanou s'approche d'elle.

EMANOU. — Je voulais te voir. *(Un temps.)* Dila, j'aimerais aller avec toi ce soir ; je veux que ma bouche soit une cage pour ta langue et mes mains des hirondelles pour tes seins.

DILA, *surprise.* — Emanou!

EMANOU. — Et puis les amis disent que je ne suis pas un homme, que je ne peux pas en être un tant que je ne suis pas allé avec une femme.

DILA. — Et tu veux que ce soit moi?

EMANOU. — Oui, Dila, tu es meilleure que les autres. Avec toi je n'aurai presque pas honte. Et puis je sais à peu près tout ce que je dois faire. Quand je te regarde, des trains électriques dansent entre mes jambes.

DILA. — Mais tu connais sa jalousie.

Emanou. — Il ne nous verra pas. Et s'il nous découvre on lui dira qu'on est en train de jouer aux soldats. Nous serons ensemble, invisibles comme la nuit et les pensées, et nous tournoierons, enlacés comme deux écureuils sous-marins.

DILA. — Mais, Emanou, il faut que tu ailles au bal jouer de la trompette.

EMANOU. — Ce sera vite fait. *(Soudain.)* Tu ne veux pas?

DILA. — Si, mais...

EMANOU. — Je vois, tu ne veux pas parce que tu sais que je n'ai aucune expérience.

DILA. — Ça n'a pas d'importance, moi j'en ai beaucoup.

EMANOU. — Alors, Dila, on se compense.

DILA. — Allons-y *(Un temps.)* Je te cajolerai comme si tu étais un lac de miel dans la paume de ma main.

Dila et Emanou se placent derrière la « voiture A » de sorte que les spectateurs ne peuvent les voir. Au bal, au fond à droite, à ce moment on joue un rock and roll très rythmé. Bientôt Milos sort de la « voiture A ». Il se hisse sur le moteur de la « voiture A » et regarde ce qui se passe derrière, c'est-à-dire ce que font Dila et Emanou. Il les contemple, plein de curiosité et de contentement. Peu après il se dirige vers la « voiture 2 ». Il parle à l'homme qui est à l'intérieur en passant la tête sous le rideau en toile de sac.

MILOS. — Regardez ce que Dila est en train de faire. *(Il rit.)* Attention, qu'elle ne vous voie pas. Regardez à travers les rideaux. *(Il rit.)*

Milos se cache un peu derrière la « voiture 2 ». On entend le rire bruyant de l'homme de la « voiture 2 ». Milos passe maintenant la tête sous le rideau en toile de sac de la « voiture 3 ».

MILOS. — Regardez. Regardez donc. *(Il rit.)* Si vous vous cachez derrière les rideaux vous pouvez tout voir très bien. *(Il rit.)*

Milos se cache un peu derrière la « voiture 3 ». On entend le rire de l'homme de la « voiture 2 ». On entend aussi le rire du ménage de la « voiture 3 ». Rire hystérique de la femme.

VOIX DE FEMME, *« voiture 3 », paroles mêlées de rires.* —

Comme c'est amusant! Il y a des années que je n'ai vu quelque chose d'aussi réjouissant!

Voix d'homme, « *voiture 3* ». — Quel spectacle! Comme ils sont drôles tous les deux.

On entend le rire de tous.
Milos se dirige vers la « voiture 1 », il passe la tête sous le rideau en toile de sac. Il doit raconter à l'oreille de l'homme qui se trouve à l'intérieur quelque chose de très amusant.
Les personnes qui sont dans les « voitures 1, 2, 3 » rient de plus en plus. Milos aussi.
Tiossido entre à droite au pas de gymnastique.

Cette fois, bien qu'il soit tout aussi épuisé qu'auparavant, il scande le rythme. Lasca, infatigable, lui prodigue ses conseils. Elle se trouve maintenant à côté de Tiossido. Leurs têtes se touchent presque. Lasca scande le rythme comme Tiossido.

Lasca. — Un, deux, un, deux, un, deux, un, deux, un, deux, un, deux. Ça vient, ça vient. Un effort. Pousse un peu et tu bats le record. Un, deux, un, deux, un, deux. Ça vient, ça vient.

Lasca et Tiossido après avoir traversé la scène de droite à gauche sortent à gauche.
Pendant qu'ils ont traversé la scène les rires ont cessé. Milos est resté immobile. Ils reprennent sans aucune retenue.

Milos s'approche des « voitures 4 et 5 » l'une après l'autre. Il s'adresse aux personnes qui se trouvent à l'intérieur.

MILOS. — Regardez, regardez donc. *(Il rit.)* Regardez comme ma femme est drôle.

On ne voit aucune des personnes qui se trouvent dans les « voitures 1, 2, 3, 4, 5 ». Cependant on entend leurs rires de plus en plus bruyants, pendant un moment.
Tout à coup les rires cessent.
Milos revient vers la « voiture A » l'air épouvanté. Il regarde encore ce qui se passe derrière en montant sur le moteur. De nouveau il a l'air en proie à une grande terreur. Enfin il entre dans la « voiture A ».
Long silence.
Dila et Emanou reparaissent. Ils sortent de derrière la « voiture A ».

EMANOU, *honteux.* — Dila... la vérité c'est que les amis ne m'ont jamais rien dit... et puis, j'ai de l'expérience. Mais je voulais aller avec toi.

DILA. — Pourquoi me racontes-tu les mêmes histoires tous les soirs?

EMANOU. — Ne me fais pas de reproches, Dila.

DILA. — Tu n'a pas besoin d'inventer quelque chose, tu sais depuis longtemps que j'accepte toujours.

EMANOU. — Oui, mais je prends mes précautions. Je te promets que je ne te mentirai jamais.

DILA. — Tous les soirs tu me fais la même promesse.

EMANOU. — Cette fois je te jure que je me corrigerai.

DILA. — J'ai toujours confiance en toi. Mais...

EMANOU. — Je veux être bon, Dila.

DILA. — Moi aussi, je veux être bonne, Emanou.

EMANOU. — Toi, tu l'es déjà : tu laisses tout le monde coucher avec toi.

DILA. — Je voudrais être encore meilleure.

EMANOU. — Moi aussi.

DILA. — Mais à quoi àa va-t-il nous servir d'être bons?

EMANOU. — Eh bien, quand on est bon *(il récite comme s'il avait appris une leçon par cœur)*, on ressent une grande joie intérieure, née de la paix de l'esprit dont on jouit lorsqu'on se voit semblable à l'image idéale de l'homme

DILA, *enthousiaste.* — Tu le dis de mieux en mieux.

EMANOU, *fier.* — Oui, je n'ai pas à me plaindre. Je l'ai appris par cœur.

DILA. — Tu es rudement intelligent, toi : tu sais tout.

EMANOU. — Pas tout, mais presque tout. Du moins les choses importantes, et toujours par cœur.

DILA. — Moi je crois que tu as en toi quelque chose de pas ordinaire... *(Un temps.)* Dis-moi un peu pour voir, tout ce que tu sais.

EMANOU. — Eh bien je sais... à quoi ça sert d'être bon... Je sais jouer de la trompette... Je sais les mois de l'année sans en oublier un...

DILA. — Non?

EMANOU. — Si... je sais encore combien vaut chaque billet de banque... je sais les jours de la semaine par cœur aussi...

DILA. — Tu es merveilleux! Et tu sais aussi penser et tout démontrer comme les gens importants?

EMANOU. — Oui, pour ça j'ai une méthode spéciale. Dis-moi de te démontrer ce qu'il y a de plus difficile.

DILA. — Démontre-moi que les girafes montent en ascenseur.

EMANOU. — Les girafes montent en ascenseur parce qu'elles montent en ascenseur.

DILA, *enthousiaste.* — Comme c'est clair!

EMANOU. — Je démontre tout aussi aisément.

DILA. — Tu es vraiment fort. *(Un temps.)* Et si je te

demande de démontrer le contraire : que les girafes ne montent pas en ascenseur.

EMANOU. — Ça serait encore plus facile : je n'aurais qu'à faire la même démonstration, mais à l'envers.

DILA. — Oh! très bien! Tu sais tout. Je te le dis : tu dois avoir quelque chose en toi, ou bien tu dois être le fils... *(elle montre le ciel et dit gauchement)*... de quelqu'un... de quelqu'un, disons, de très haut placé.

EMANOU. — Non. Ma mère était pauvre. Elle m'a dit qu'elle était si pauvre que lorsque j'allais naître personne n'a voulu la laisser entrer chez soi. Seuls une petite vache et un ânon qui se trouvaient dans une étable très délabrée eurent pitié d'elle. Alors ma mère est entrée dans l'étable et je suis né. L'âne et la vache me réchauffaient de leur haleine. La vache était contente de me voir naître et elle faisait « Meuh! Meuh! » et l'âne brayait et remuait les oreilles.

DILA. — Personne n'a voulu écouter ta mère?

EMANOU. — Non. Ensuite on est parti pour un autre village et là mon père était charpentier, et moi je l'aidais à faire des tables, des chaises et des armoires. Mais le soir j'apprenais à jouer de la trompette. Et quand j'ai eu trente ans j'ai dit à mon père et à ma mère que j'allais jouer pour que ceux qui n'ont pas d'argent puissent quand même danser le soir.

DILA. — C'est à ce moment-là que tes amis se sont joints à toi?

EMANOU. — Oui.

La musique qu'on a entendue jusqu'ici s'arrête: le morceau de jazz est fini. On entend des cris qui viennent du fond à droite. C'est Topé qui crie:
— Emanou! Emanou! Emanou! Emanou!

EMANOU. — Il faut que je m'en aille ou ils vont se fâcher.

A droite entre Fodère en courant. Il fait signe à Emanou qu'il doit venir, qu'on l'attend.

EMANOU. — Au revoir, Dila, à bientôt.

DILA. — Au revoir, Emanou. *(L'air soucieux tout à coup.)* Dis-moi, est-ce que les flics vont venir vous chercher aujourd'hui?

EMANOU. — Je crois que oui. Tu nous feras signe?

DILA. — Bien sûr.

EMANOU. — Merci. Au revoir.

DILA. — Au revoir.

Emanou et Fodère sortent ensemble à droite. Bientôt on entend à nouveau la musique: jazz, rock and roll. Dila reste seule en scène. Elle frappe violemment à la porte de la « voiture A ».

DILA. — Sors de là, inutile de te cacher. Sors donc, imbécile.

Milos sort peu après, tête basse, l'air craintif.

DILA. — Ne baisse pas la tête. Regarde-moi. *(Avec une violence croissante.)* Je te dis de me regarder. Tu ne m'entends pas? Lève la tête!

Milos lève craintivement la tête.

DILA. — Combien de fois t'ai-je ordonné de me laisser tranquille?

MILOS. — Dila, je ne savais pas que...

DILA. — Alors, tu ne savais pas, hein? Tous les soirs il faut te répéter la même chose. Tu crois que ce petit jeu va durer longtemps. J'en ai assez. Je vais m'en aller pour toujours.

MILOS, *suppliant.* — Non, Dila, ne me laisse pas seul, ne me quitte pas.

DILA. — Et comme si ça ne suffisait pas, tu as prévenu tous ces imbéciles. *(Elle montre les voitures.)*

Silence.

DILA. — C'est ça, faites vos saintes nitouche. Qu'est-ce que vous croyez?... que je ne sais pas que vous me guettez derrière vos rideaux?

Dans la « voiture 3 » on entend un chuchotement craintif. Les rideaux des voitures remuent imperceptiblement.

DILA. — Qu'est-ce que vous dites? Osez donc élever la voix. Pourquoi riez-vous?

Silence. Dila se dirige vers la « voiture 3 » et soulève le rideau. On ne voit personne dedans.

DILA. — C'est ça, faites semblant de dormir! Comme si je ne vous connaissais pas! Vous ne m'entendez donc pas?

Silence. Dila se dirige vers la « voiture 2 ». Elle soulève le rideau. Il n'y a personne dans la voiture.

DILA. — Monsieur s'est endormi tout d'un coup, n'est-ce pas? Tu crois que je ne t'ai pas entendu t'esclaffer tout à l'heure?

MILOS. — Laisse-les, tu sais bien qu'ils ont le sommeil lourd. Tu as beau leur parler, ils ne t'entendront pas.

DILA. — Ils ne m'entendront pas! Il n'y a pire sourd que celui qui ne veut pas entendre.

Silence. On entend des chuchotements dans les voitures. Les rideaux en toile de sac bougent.

DILA. — Qu'est-ce que vous dites? Osez un peu élever la voix.

Silence.

MILOS. — Laisse-les, Dila, tu sais comme ils sont timides et susceptibles. Il vaut mieux qu'ils ne se réveillent pas.

DILA. — C'est ça, défends-les maintenant, comme si tu n'avais pas assez à faire à te défendre.

MILOS. — Mais non, Dila, je ne les défends pas. *(Un temps.)* Laisse-moi aller me coucher. J'ai sommeil.

DILA. — Monsieur a sommeil. Monsieur ne peut pas rester dehors une minute de plus.

MILOS. — Non, Dila, je n'en peux plus, je tombe de sommeil. Tu sais que le matin il y a énormément de travail : il faut que je leur serve le petit déjeuner au lit, que je nettoie les voitures, que je fasse les lits, le ménage, que je cire le parquet. Ils sont si exigeants. Et si je ne vais pas dormir maintenant, demain je ne pourrai même pas tenir debout.

DILA. — Mais d'abord, demande-moi pardon.

MILOS. — Oui, Dila, pardon.

DILA. — A genoux et dis le mieux que ça.

MILOS, *à genoux, d'un ton ému.* — Pardonne-moi, Dila. *(Petits rires à l'intérieur des voitures.)*

DILA. — Tu peux aller au lit.

Milos essaie d'embrasser Dila en lui disant « Bonne nuit ». Dila le repousse violemment.

DILA. — Ne me touche pas.

Milos se dirige vers la « voiture A ». Il entre dans la voiture. Silence. Dila se dirige vers la « voiture 3 ».

DILA, *elle parle à ceux de la « voiture 3 ».* — Vous dormez toujours, hein? *(Silence.)* Donnez-moi la glace et le peigne que je me coiffe. *(Silence.)* Est-ce que vous n'avez pas entendu ce que je vous dis?

Entre les rideaux de la « voiture 3 » apparaissent un miroir et un peigne gigantesques. On ne voit pas la main de celui qui les tend. Dila les saisit avec violence.

Silence.

Dila se dirige vers l'une des chaises longues. Elle s'assied. Elle commence à se coiffer avec beaucoup de soin.
A gauche (contrairement aux fois précédentes où ils entraient à droite), Tiossido et Lasca entrent.
Tiossido est toujours habillé en athlète: il traverse la scène de gauche à droite. Lasca, infatigable, paraît mécontente de son poulain.

LASCA, *très mécontente, Tiossido semble négliger tout à fait ses conseils.* — Mais est-ce que tu ne m'entends pas ? Je te répète que tu te trompes de direction. Dans ces conditions, comment veux-tu battre le record ? Je te dis d'aller à gauche, tu t'es trompé. Tu m'entends ?

Tiossido s'arrête tout à coup. Il hésite un instant. Il semble vouloir s'orienter. Il est à moitié endormi et très fatigué. Enfin il change de direction: il revient à gauche, toujours au pas de gymnastique.

LASCA, *satisfaite.* — C'est ça. C'est la bonne direction. Tu vas voir, tu vas battre le record. La respiration ! Un, deux, un, deux, un, deux, un, deux, un, deux, un, deux...

Lasca et Tiossido sortent à gauche.
Dila continue à se peigner tranquillement et avec soin. Milos passe la tête sous le rideau en toile de sac de la « voiture A ». Il regarde Dila et sourit. Dila lève la tête le plus vite possible. Un

temps. On entend toujours de la musique au fond. Tout à coup, dans le lointain à gauche, on entend des voix :

VOIX D'HOMME. — E-ma-nou! E-ma-nou! Les flics! E-ma-nou! Les flics!

VOIX D'UN AUTRE HOMME. — E-ma-nou! Voilà les flics! Ils arrivent!

Dila se lève et se dirige vers la gauche. Elle passe devant la « voiture A ». Milos passe la tête sous le rideau.

MILOS. — N'y vas pas. Ne les préviens pas. Qu'est-ce que ça peut te faire à toi que les flics les arrêtent? Ne te mêle pas de ça.

DILA, *avec violence.* — Je ne suis pas une gamine. Je sais me défendre toute seule. *(Dila sort à gauche en criant.)* Emanou, les flics!...

Milos la voit s'éloigner avec douleur. Enfin, il rentre la tête. On entend dans le lointain — à gauche — les coups de sifflet de la police. On les entendra pendant toute la scène qui suit.
A partir de ce moment et jusqu'à la fin du premier acte, le jeu dans les coulisses devra être exactement en contrepoint avec ce qui se passe sur la scène.
Entrent Lasca et Tiossido. Tiossido se traîne littéralement sans pouvoir faire un pas de plus. Lasca, infatigable, le pousse pour le forcer à continuer, elle le traîne. (Se souvenir que Lasca est une femme d'un certain âge ; elle a les cheveux blancs. Tiossido est jeune.)

LASCA. — Fais un effort. Un seul. Encore un.

Lorsqu'ils atteignent le milieu de la scène. Tiossido tombe épuisé par l'effort. Il s'est évanoui. Lasca pratique la respiration artificielle. Puis elle le porte dans ses bras jusqu'à l'une des chaises longues. Tiossido revient à lui peu à peu.
Pendant ce temps la musique s'est arrêtée. On entend des cris de panique et des bruits de courses à droite. A gauche les coups de sifflet de la police qui s'approche de plus en plus de la scène.

TIOSSIDO, *se réveillant, tendrement à Lasca.* — Mon amour!

LASCA. — Ne deviens pas sentimental, comme toujours.

TIOSSIDO. — Mon amour, embrasse-moi. J'en ai besoin.

LASCA, *sans l'écouter.* — Tu te sens bien? Ton malaise est passé?

TIOSSIDO. — Oui, ma chérie. Maintenant je n'ai plus que toi.

Tiossido essaie d'embrasser Lasca avec passion. Elle le repousse violemment.

LASCA. — Pas ici. Je t'ai déjà dit mille fois que tu ne dois pas te conduire comme ça en public.

TIOSSIDIO. — Un seul baiser. Si tu ne me donnes pas un baiser, je ne pourrai pas revenir à moi.

LASCA. — Mais un seul, hein?

Tiossido et Lasca s'embrassent longuement et passionnément.

Tandis qu'ils s'embrassent on entend des chuchotements et des petits rires dans les voitures et l'on voit les rideaux bouger.
A droite, au fond, on entend toujours des bruits de courses folles. A gauche, au fond, des coups de sifflet qui se rapprochent de plus en plus.
Tiossido et Lasca finissent de s'embrasser.

LASCA. — Tu crois que personne ne nous a vus?
TIOSSIDO. — Non, Lasca, personne.
LASCA. — J'ai cru entendre des bruits suspects.
TIOSSIDIO. — Tu as beaucoup d'imagination, mon amour!

Ils s'embrassent encore longuement et passionnément.
Tandis qu'ils s'embrassent, Fodère, Topé et Emanou traversent rapidement la scène de droite à gauche tout recroquevillés sur eux-mêmes (le menton touchant presque les genoux). Topé s'arrête et saute pour essayer de voir ce qui se passe au fond derrière les voitures. Horrifié il fait un geste à ses amis pour leur signaler que le danger est derrière les voitures. En effet, on entend parfaitement les coups de sifflet derrière les voitures au fond. Topé, Fodère et Emanou, toujours à croupetons, traversent la scène et sortent à gauche. Les coups de sifflet de la police s'éloignent au contraire vers la droite.
Lasca et Tiossido finissent de s'embrasser.

LASCA, *débordant d'amour.* — Ah! Tiossido, comme tu es!

TIOSSIDO. — Tu m'aimeras toujours?
LASCA. — Oui, Tiossido, tu le sais bien.
TIOSSIDO. — Jusqu'à ma mort?
LASCA. — Tu ne peux pas mourir.
TIOSSIDO. — Toi non plus, Lasca. Nous vivrons tous les deux ensemble.
LASCA. — Tu m'aimes comme au premier jour?
TIOSSIDO. — Oui.
LASCA, *fâchée.* — Seulement comme au premier jour?
TIOSSIDO. — Non, beaucoup plus encore.

Lasca embrasse passionnément Tiossido.
Chuchotements dans les voitures. Les rideaux en toile de sac remuent. Dans la « voiture 3 » on entend une voix qui dit : « Non, mais, il recommencent? »
On entend toujours au loin les coups de sifflet et la poursuite.

LASCA, *soucieuse, tout à coup.* — Allons, il faut que tu continues à t'entraîner.

TIOSSIDO, *très ennuyé.* — Non, Lasca, ça suffit pour aujourd'hui.

LASCA. — Ça suffit? Ça te paraît suffisant? Est-ce que tu oublierais par hasard qu'aujourd'hui tu n'as commencé qu'à cinq heures du matin?

TIOSSIDO. — Pour une fois.

LASCA. — Pour une fois? Tu crois que c'est une excuse? Tu sais bien que tu dois commencer tous les matins à quatre heures. Si tu perds une heure, c'est le commencement de la fin.

TIOSSIDO. — Demain je la récupérerai. *(Un temps. Avec tendresse.)* Et puis, aujourd'hui, je compte faire quelque chose de mieux.

LASCA, *horrifiée.* — Non, ça non. Absolument pas. Ça t'affaiblit trop. A ce train-là, tu ne pourras jamais battre le record.

TIOSSIDO, *d'un ton suppliant.* — Une fois seulement, Lasca.

LASCA. — Pas question.

TIOSSIDO. — Mais, Lasca... quand je suis avec toi...

LASCA. — Non, je te dis que non. Et puis il n'y a pas d'endroit où l'on puisse se mettre.

TIOSSIDO. — On peut aller dans une voiture.

LASCA. — Non, ça non. Tu serais capable de m'emmener là? C'est comme ça que tu m'aimes?

TIOSSIDO. — Pour une fois seulement. Personne ne s'en apercevra.

LASCA. — Mais quelqu'un peut me reconnaître. Et si après on raconte ça à mon...

TIOSSIDO, *lui coupant la parole.* — Personne ne nous verra. Il fait nuit noire.

LASCA. — Et tu veux que je remplisse aussi la fiche? Alors qu'on les envoie Dieu sait où! On ne sait jamais qui les garde.

TIOSSIDO. — Non, je remplirai la mienne et c'est tout. Toi, tu n'en as pas besoin.

LASCA, *après un court silence, au bord des larmes.* — Et puis, je le sais bien, après tu vas te conduire comme une brute.

TIOSSIDO. — Non, Lasca. Je serai très délicat.

LASCA. — Mais tu m'aimeras encore, ou tu vas faire comme tous les hommes?

TIOSSIDO. — Non, Lasca, je ne suis pas comme les autres. Tu verras. Allons-y.

Tiossido et Lasca se dirigent vers la « voiture A ». Lasca se cache craintivement derrière le moteur. Tiossido frappe à la porte de la « voiture A ».

Silence.

Tiossido frappe encore.

VOIX DE MILOS *qui, de toute évidence, vient de se réveiller.* — Oui, oui, j'y vais. Ne frappez pas si fort, je ne suis pas sourd.

Personne ne vient. Un temps.
Bientôt on entend au fond à droite la voix de Mila : « Emanou, les flics reviennent. » *Aussitôt après on entend les coups de sifflet de la police qui se rapprochent de plus en plus. A gauche, courses affolées. Dila continue à appeler Emanou pour le prévenir de l'arrivée de la police.*
Tiossido et Lasca s'impatientent.

LASCA. — Mais est-ce qu'on va se décider à t'ouvrir ?
TIOSSIDO. — Ne t'impatiente pas, voyons.
LASCA. — Frappe encore une fois.

Tiossido frappe en essayant de ne pas faire de bruit.

VOIX DE MILOS *qui, de toute évidence, vient de se réveiller.* — Mais puisque je vous dis j'arrive. C'est un monde ! En voilà une manière de frapper !

Personne ne vient.
On continue à entendre à droite les coups de sifflet qui se rapprochent. A gauche, bruit de courses. Enfin, entrent à gauche Fodère, Topé et Emanou. Tous trois se hâtent mais marchent à croupetons pour qu'on ne les voie pas. Ils traversent la scène de gauche à droite et sortent

à droite. Les coups de sifflet partent maintenant de derrière les voitures, au fond.
Tiossido et Lasca s'impatientent de plus en plus.

LASCA. — Frappe encore.

Tiossido frappe tout doucement à la porte de la « voiture A ».

VOIX DE MILOS, *qui, de toute évidence, vient de se réveiller.* — Mais oui, j'y vais. Est-ce que vous croyez que je ne vous entendais pas? Si vous continuez à taper comme un sourd vous allez me démolir la voiture.

Un temps. Les coups de sifflet s'éloignent vers la droite. Le bruit diminue de plus en plus.
Enfin, la tête de Milos apparaît.

MILOS, *violent.* — Qu'est-ce que vous voulez?

TIOSSIDO. — Je voudrais passer la nuit ici.

MILOS, *soudain obséquieux.* — Que Monsieur veuille bien m'excuser de l'avoir fait attendre, je ne savais pas qu'il s'agissait d'un client. Nous avons en ce moment quelque chose qui va plaire à Monsieur.

TIOSSIDO. — Mais... je ne suis pas seul.

MILOS. — Vous êtes accompagné. Aucune importance. Il y a de la place. Avez-vous une pièce d'identité?

TIOSSIDO. — Ah, non je l'ai oubliée à la maison.

MILOS, *de nouveau brutal et méprisant.* — Alors, il n'y a rien pour vous, merde.

TIOSSIDO. — Est-ce que mon numéro d'athlète peut vous être utile?

Il arrache le numéro 456 qu'il porte sur la poitrine et le lui remet.

MILOS, *de nouveau très complaisant et très poli.* — Mais naturellement. Nous sommes là pour servir Monsieur et lui être agréable. Veuillez signer ici.

Il signe.
De nouveau, on entend la voix de Dila : « Emanou, les flics reviennent. » *Cette fois, les coups de sifflet et les bruits de courses viennent de la droite. Ils se rapprochent.*

MILOS. — Si Monsieur et Madame veulent bien me suivre...
LASCA. — Il ne va pas me demander, à moi, de remplir une fiche?
MILOS. — Celle de Monsieur suffira.
LASCA. — Mais, il faut que j'en remplisse une aussi.
MILOS. — Que Madame ne se soucie de rien, la fiche de Monsieur suffit.
LASCA, *fâchée.* — C'est bon. Vous savez mieux que moi ce que vous avez à faire. Moi je m'en moque. Mais vous vous en mordrez les doigts.

Milos leur ouvre cérémonieusement la porte de la « voiture 2 ».

MILOS, *à l'homme qui est dans la « voiture 2 ».* — Monsieur, cette dame et ce monsieur vont occuper l'autre moitié.

VOIX D'HOMME. — Les salauds! Est-ce qu'ils ne peuvent pas aller baiser ailleurs?

MILOS. — Je regrette beaucoup, Monsieur, j'essaierai demain de vous trouver une voiture individuelle.

VOIX D'HOMME. — Tu fais un fameux emmerdeur.

Tiossido et Lasca entrent dans la « voiture 2 ». Avant de fermer la porte, Lasca dit à Milos :

LASCA. — Appelez-nous demain à trois heures.

MILOS. — Comme Madame voudra. Je souhaite une bonne nuit à Madame et Monsieur.

Milos se dirige vers la « voiture A ».
Il y entre.
A droite, arrivent en courant Topé, Emanou et Fodère, plus rapides que jamais, et encore plus effrayés qu'auparavant. Les coups de sifflet de la police les suivent de près. Topé, Emanou et Fodère s'emparent des chaises longues et se réfugient derrière la « voiture 1 ». Ils sont protégés par les chaises qui leur servent de tranchées : on ne les voit pas. Seule pointe, comme trois fusils, l'extrémité des trois instruments. Tout à coup, Fodère lève la tête, regarde à droite et, horrifié, baisse la tête. Les coups de sifflet de la police se rapprochent à droite. Alors que les agents vont entrer sur scène, une voix les immobilise.

VOIX DE DILA, *air lascif.* — Écoutez-moi un peu. Regardez.

Les bruits de pas ayant cessé, on comprend que les agents se sont arrêtés.

VOIX DE DILA. — Regardez ça. *(Voix plaintive et voluptueuse.)* Je ne sais pas ce qui me prend.

Dila éclate d'un rire lascif.

VOIX DE DILA. — Ça vous plaît ?

Rire lascif de Dila. Les agents rient d'un air bête. Quelques-uns mugissent.

RIDEAU

DEUXIÈME ACTE

Même endroit. Quelques heures plus tard. A gauche dorment Emanou, Topé et Fodère, sur leurs chaises longues, tenant chacun en main leur instrument respectif. On entend des bruits dans la « voiture 2 ».

VOIX D'HOMME. — Mais est-ce que vous allez vous tenir tranquilles une bonne fois?

VOIX DE TIOSSIDO. — Excusez-nous, Monsieur, nous ne le faisons pas exprès.

VOIX DE LASCA. — C'est si étroit, ici.

Petit rire.

Bientôt Dila entre à droite. Elle se dirige vers Emanou. Elle le réveille.

EMANOU, *sursautant.* — Dila. *(Un temps.)* Ils t'on enfin laissée en paix?

DILA. — Oui.

Topé et Fodère se réveillent.

TOPÉ. — Ils t'ont beaucoup ennuyée?

DILA. — Non. Moyennement.

EMANOU. — Si tu ne nous avais pas aidés, à cette heure nous serions pris. Tu es notre héroïne de cinéma muet.

DILA. — Tu l'as échappé belle. Ils étaient tellement enragés.

TOPÉ. — Que vont-ils nous faire?

DILA. — C'est Emanou qu'ils veulent prendre. C'est ce qu'ils ont dit.

TOPÉ. — Bien sûr, tu te mets toujours en vedette.

EMANOU. — Eh bien, ce n'est pas drôle du tout.

DILA. — Ils ont même promis une forte somme à celui qui leur indiquera où tu te caches.

EMANOU. — Vraiment?

DILA. — Comme je te le dis. *(Un temps.)* J'ai bien eu envie de te dénoncer, comme ça j'aurai pu m'acheter des serviettes hygiéniques.

EMANOU. — Et pourquoi ne l'as-tu pas fait?

DILA, *étonnée.* — Ah! ça, je ne peux vraiment pas te le dire.

TOPÉ. — Tu ne sais jamais rien.

DILA. — Je crois que vous devriez filer d'ici. Ils peuvent revenir.

EMANOU. — Avec toutes ces histoires, on ne sera jamais tranquille.

Milos, d'un air féroce, examine le groupe, la tête à la portière de la « voiture A ». Le groupe ne remarque pas sa présence. Milos, tout en regardant, boit à petites gorgées, en faisant beaucoup de bruit, un gigantesque bol de bouillon qui doit être très chaud, car il souffle dessus constamment.

TOPÉ. — Et où est-ce qu'on va bien pouvoir se cacher?

DILA. — Par ici, c'est bien facile.

TOPÉ. — Ils en ont réellement après toi.

DILA. — Vraiment, je ne comprends pas pourquoi. Tu ne ferais pas de mal à une mouche.

EMANOU, *l'air honteux.* — Mais si, j'en suis capable. Je les tue.

DILA, *au comble de l'étonnement.* — Tu en serais capable?

EMANOU, *s'excusant.* — Enfin, de temps à autre.

DILA. — Et tu tues toujours des mouches?

EMANOU. — Non, quelquefois je tue autre chose.

DILA. — Des gens aussi?

EMANOU. — Oui. Mais pas beaucoup de ça, sauf quand je vois quelqu'un dans l'ennui, alors je le tue.

DILA, *enthousiaste.* — Et dire que tu me cachais ça. Comme tu es adroit! Tu tues aussi bien une mouche qu'une personne.

EMANOU. — Ce n'est pas que je sois habile, c'est plutôt une habitude.

DILA. — Que fais-tu des cadavres?

EMANOU. — Je les enterre.

DILA. — Tout seul?

EMANOU. — Oui, tout seul. Mon père m'a appris quand j'étais petit qu'il vaut mieux faire les choses soi-même que d'avoir un aide qui ne sait rien faire.

DILA, *enthousiaste.* — Tu es extraordinaire!

EMANOU. — Et puis la nuit je vais voir les feux follets qui sont si jolis et qui dansent pour les lucioles amoureuses des lézards.

DILA. — La nuit?

EMANOU. — Oui, la nuit. Et enfin le jour des morts je porte des géraniums sur les tombes et je joue de la trompette.

DILA. — Comme tu es bon pour les morts!

EMANOU, *modeste.* — Ça n'a pas d'importance.

DILA, *tout à coup.* — C'est peut-être pour tout ça que les flics te cherchent.

EMANOU. — Non, ils me cherchent parce que je joue de la trompette. Tu sais bien qu'ils sont furieux que je joue pour les pauvres.

TOPÉ. — Je crois qu'on ferait mieux de se cacher le plus vite possible.
DILA. — Topé a raison.

Ils se lèvent.

EMANOU. — Au revoir, Dila.
TOPÉ. — Au revoir, Dila.
DILA. — Au revoir.

Fodère, Topé et Emanou sortent à gauche.
Dila se dirige vers la « voiture 1 » et passe la tête entre les pans du rideau de toile de sac.

DILA. — Embrassez-moi, Monsieur. *(Baiser.)* Merci.

Milos, plus furieux que jamais, sort de la « voiture A ». Il se dirige vers Dila. Il la saisit par les cheveux et la jette à terre.

MILOS, *avec violence.* — Qu'est-ce que tu étais en train de faire? *(Silence.)* Tu croyais que je ne te voyais pas, n'est-ce pas? *(Silence.)* Putain! Tu n'es qu'une putain! Ton rêve c'est d'embrasser le premier venu. *(Un temps.)* Debout.

Dila se redresse.

MILOS. — Ta main.

Dila tend la main. Milos lui tape sur les doigts.
On entend des rires à l'intérieur des voitures.

MILOS. — Encore!

Dila tend la main. Milos lui tape sur les doigts.
On entend des rires à l'intérieur des voitures.

MILOS. — Encore!

Même jeu.

MILOS. — Tu sais comme je suis jaloux. Demande-moi pardon.

DILA. — Pardon.

MILOS. — A genoux et dis-le mieux que ça.

DILA, *à genoux*. — Pardon.

On entend des rires à l'intérieur des voitures.

MILOS. — Et ne recommence pas. Allons-nous-en.

Milos prend amoureusement Dila par les épaules.
Ils entrent ensemble dans la « voiture A ».
On entend des bruits dans la « voiture 2 ».

VOIX DE TIOSSIDO. — C'est l'heure, Lasca.

VOIX DE LASCA. — Encore une petite minute.

VOIX DE TIOSSIDO. — Ni une minute ni deux. Tu m'entends ?

VOIX DE LASCA. — Juste un petit somme.

Tiossido sort de la « voiture 2 » ; il porte l'uniforme d'agent de police. Aussitôt il fait sortir violemment Lasca qui est aussi habillée en agent, comme Tiossido. Ils ont tous deux un sifflet autour du cou. Lasca est à moitié endormie.

TIOSSIDO, *faisant de la gymnastique : bras en croix, flexion des jambes.* — Un, deux, un, deux, un, deux, un, deux, un, deux. *(Tout à coup, il s'aperçoit que Lasca ne fait plus le mouvement. Il lui dit brutalement :)* Mais, qu'est-ce que tu fais ? Recommence le mouvement.

Lasca, de mauvaise grâce, fait le même mouvement que Tiossido.

TIOSSIDO. — Un, deux, un, deux, un, deux, un, deux, un, deux...

Topé entre en scène à droite. Il observe les mouvements de Lasca et Tiossido.

LASCA. — On va finir ? Je suis très fatiguée.

TIOSSIDO, *en colère.* — Tu fais bien la délicate, aujourd'hui. Deuxième mouvement !

Flexion du tronc : ils touchent leurs pieds avec leurs mains sans fléchir les genoux.

TIOSSIDO. — Un, deux, un, deux, un, deux, un, deux, un, deux...

Lasca ne parvient pas à toucher la pointe des pieds avec ses mains. Tiossido s'en aperçoit tout à coup.

TIOSSIDO. — Quoi? Tu ne peux pas toucher tes pieds? Essaie un peu, que je te regarde. *(Tiossido l'observe tout en disant :)* Un, deux, un, deux, un, deux, un, deux... Un effort. Est-ce que Mademoiselle serait souple comme un bout de bois, par hasard? Un, deux, un, deux, un, deux. Plus d'énergie! Un, deux, un, deux, un, deux, un, deux.

Topé s'approche de Tiossido et de Lasca.

TOPÉ, *à Tiossido.* — Vous êtes agent de police?

Milos passe la tête à la fenêtre de la « voiture A » et regarde la scène à l'aide d'un monocle. Il semble très satisfait.

TIOSSIDO. — A votre service.
TOPÉ. — Vous cherchez Emanou?

Au nom d'Emanou, Tiossido et Lasca sursautent.

TIOSSIDO. — Bien sûr.
TOPÉ. — On donnera une récompense à celui qui indiquera où il se cache ?
TIOSSIDO. — Oui.
TOPÉ. — Moi, je vous y conduirai. Il est avec son ami Fodère.
TIOSSIDO. — Et comment ferons-nous pour savoir lequel est Emanou ?
TOPÉ. — C'est bien simple, quand j'arriverai, j'embrasserai l'un des deux. Et celui-là, ce sera Emanou.
TIOSSIDO. — Venez avec nous. Vous nous direz où il se trouve.
LASCA. — Prêts ?
TIOSSIDO. — Prêts !

Lasca et Tiossido prennent tous deux l'attitude de l'athlète qui s'apprête à courir les cent mètres.

LASCA. — A vos marques ; prêts...

Lasca n'a pas le temps de dire « partez ». Il y a quelques instants, un bras est sorti de la « voiture 1 », la main tient un pistolet. Au moment où Lasca devrait dire « partez », le coup de pistolet part. Lasca et Tiossido sortent à gauche à toute vitesse. Topé reste un instant déconcerté, mais il s'élance aussitôt derrière eux, également à toute vitesse.
Milos continue à regarder avec son monocle. Puis il pose le monocle avec flegme et regarde à gauche avec des jumelles de campagne, enfin avec une longue-vue qu'il règle peu à peu. Il fait beaucoup

d'efforts pour réussir à voir. On comprend que, malgré tout le mal qu'il se donne, il n'y parvient pas. Milos rentre dans la « voiture A ».
Dans la « voiture 3 », on allume une bougie. On aperçoit une lueur à travers le rideau en toile de sac.

VOIX D'HOMME. — Il nous a encore oubliés.
VOIX DE FEMME. — Il n'y a pas de doute. A cette heure-ci !
VOIX D'HOMME. — Mais moi, je n'y tiens plus.
VOIX DE FEMME. — Moi non plus.
VOIX D'HOMME. — Je l'appelle?
VOIX DE FEMME. — Laisse-le, tu sais comme il est susceptible. S'il s'aperçoit qu'il a oublié, il va se mettre en rogne.
VOIX D'HOMME. — Mais je n'en peux plus. J'appelle.

Coup de klaxon. Milos sort de la « voiture A » et se dirige vers la « voiture 3 ». Il passe la tête sous le rideau en toile de sac.

MILOS. — Monsieur et Madame désirent?
VOIX D'HOMME. — Euh... Vous savez l'heure qu'il est?
MILOS, *il tire un réveil de sa poche et le regarde d'un air horrifié.* — Mais ce n'est pas possible! Que Monsieur et Madame veuillent bien excuser ce déplorable oubli. Monsieur et Madame ne peuvent savoir à quel point je regrette... Je reviens tout de suite.

Milos se dirige vers la « voiture A ». Il y entre. On entend des murmures ; Milos et Dila se disputent à voix basse. Peu après, Dila sort en tenant un gigantesque pot de chambre. Elle est en combinaison — elle vient de sortir du lit — et elle a sommeil. Dila se dirige vers la « voiture 3 ». Elle passe le pot de chambre entre les rideaux en toile de sac.

DILA. — Bonne nuit, Messieurs-Dames. Voilà.

Bientôt, on entend deux personnages uriner en même temps et dans le même récipient, à l'intérieur de la « voiture 3 ». De temps en temps, ils poussent des soupirs de satisfaction. Milos sort de la « voiture A » avec un verre d'eau sur un plateau. Les gens de la « voiture 3 » ont fini d'uriner. Le pot de chambre apparaît à travers les rideaux en toile de sac. Dila le reprend.

DILA. — Merci, Messieurs-Dames.

Aussitôt après Milos donne le verre d'eau au monsieur de la « voiture 5 ».

MILOS. — Bonsoir, Monsieur. Voici votre eau.

Dila porte le pot de chambre à la « voiture 2 ».

DILA. — Bonne nuit, Monsieur. Voilà.

VOIX D'HOMME, « *voiture 2* ». — Que voulez-vous que j'en fasse?

DILA. — C'est votre heure, Monsieur.

VOIX D'HOMME. — Puisque je vous dis que je n'en ai rien à faire.

Ils se démènent tous deux. Dila essaie de passer le pot de chambre entre les rideaux de la « voiture 2 ». On voit que le monsieur oppose une vive résistance. C'est Dila qui gagne. Le monsieur de la « voiture 2 », en grognant, de très mauvaise humeur, fait quatre gouttes et un tout petit jet. Il rend le pot de chambre.

DILA. — Merci, Monsieur.

MILOS, *furieux après avoir emporté le verre de la « voiture 5 », à Dila.* — Tu t'es encore trompée! Je t'ai dit mille fois que ce n'est pas à celui là que tu dois le donner, mais à l'autre. *(Il montre la « voiture 4 ».)* Tu m'entends? Combien de fois faudra-t'il que je te le répète?

DILA. — Excuse-moi. Je ne l'ai pas fait exprès.

MILOS. — Je ne l'ai pas fait exprès! Tu crois que c'est une bonne excuse?

Dila passe le pot de chambre entre les rideaux de la « voiture 4 ».

DILA. — Voilà, Monsieur.

On entend qu'il urine un peu. Il rend le pot de chambre qui apparaît entre les rideaux. Dila va le reprendre.

VOIX D'HOMME, *il retient le pot de chambre.* — Encore une fois. Un moment.

On entend qu'il urine. Il rend le pot de chambre. Dila va le reprendre. L'homme le garde encore.

VOIX D'HOMME. — Encore une fois. Un moment.

On entend qu'il urine encore. Il rend définitivement le pot de chambre à Dila.

VOIX D'HOMME. — Merci.

Dila hésite, le pot de chambre à la main.

DILA. — Je peux aller au lit, je tombe de sommeil?

MILOS. — Oui. Vas-y. Moi aussi, j'ai sommeil. Mais jette ça avant.

Dila se dirige vers les coulisses. On entend qu'elle jette le contenu du pot de chambre. Elle revient, le pot de chambre à la main, toujours hésitante. Milos la prend amoureusement par les épaules. Ils entrent ensemble dans la « voiture A ».

Silence.

A droite, entrent Emanou et Fodère. Ils traversent la scène de droite à gauche. Ils examinent les lieux avec attention. Ils cherchent Topé.

EMANOU. — To-pé! To-pé! *(Un temps.)* Où es-tu, Topé? *(Un temps.)* To-pé!

Fodère lève les rideaux de la « voiture 3 ». On entend le cri horrifié d'une femme. (Ils l'ont surprise nue.) Gestes de Fodère en rapport avec la circonstance. Ils avancent vers la gauche. Ils sortent à gauche. On entend les cris d'Emanou au loin : « Topé! Topé!... »
Un temps.
A droite, entrent Lasca et Tiossido qui poussent une bicyclette ; ils la tiennent par le guidon. Ils traversent très rapidement la scène de droite à gauche. Alors qu'ils s'apprêtent à sortir à gauche, ils s'arrêtent. Ils attendent un moment tout en regardant vers la droite. Topé apparaît, épuisé (visiblement, il a essayé de les serrer de près, mais il n'a pas pu).

LASCA, *à Topé.* — Mais quand va-t-on trouver ce fameux Emanou?

Milos apparaît à la fenêtre, l'air satisfait, il contemple la scène avec son monocle.

TOPÉ. — J'ai cru qu'il était là. *(Il montre un coin très vague derrière les voitures.)* On va voir si en faisant un tour je le trouve.

TIOSSIDO ET LASCA, *étonnés et horrifiés, ils regardent Topé.* — Encore un tour?

TOPÉ. — C'est nécessaire si on veut mettre la main dessus.

TIOSSIDO, *avec une profonde tristesse.* — Encore un tour!

LASCA, *triste aussi mais cherchant une solution.* — Mais ce n'est qu'un...

TIOSSIDO, *héroïque.* — Faisons notre devoir, quoi qu'il nous en coûte.

Aussitôt, ils sortent à gauche à toute vitesse. Topé, épuisé, tente de les suivre. Il reste loin derrière eux. Milos s'approche de la « voiture 2 ». Il frappe à la porte. Milos et l'homme de la « voiture 2 » chuchotent à travers le rideau. De temps en temps, ils s'esclaffent. Milos revient vers la « voiture A », il en sort des jumelles de campagne. Il vérifie si elles fonctionnent bien en les braquant sur le public. Il revient à la « voiture 2 ». Chuchotements, rires. Il donne les jumelles à l'homme de la « voiture 2 ». Nouveaux rires. Tout à coup, on entend une voix qui sort de la « voiture 4 ».

VOIX D'HOMME, *« voiture 4 ».* — J'en veux aussi.

Milos se dirige vers la « voiture 4 ». Il chuchote avec l'homme qui se trouve à l'intérieur. Rires. Milos se dirige vers la « voiture A » et en sort une autre paire de jumelles. Il vérifie son fonctionnement en les braquant sur le public. Il revient à la « voiture 4 ». Chuchotements. Rires. Tout à coup, Milos regarde à droite d'un air de satisfaction. Il se dirige vers la « voiture 2 » sur la pointe des pieds. Il passe la tête entre les rideaux.

MILOS. — Les voilà!

Petits rires. Il se dirige sur la pointe des pieds vers la « voiture 4 ». Même jeu.

MILOS. — Les voilà!

Petits rires. Milos se cache derrière la « voiture A ». On ne voit pas que sa tête est tournée vers la droite Entre les rideaux en toile de sac des « voitures 2 et 4 » apparaissent les jumelles (une paire dans chaque voiture). Rires.
Peu après, Fodère et Emanou entrent en scène. Ils traversent la scène de droite à gauche. Les deux jumelles suivent leurs déplacements.

EMANOU. — To-pé! To-pé! To-pé!...

Ils sortent à gauche. On entend au loin leurs voix qui crient: « To-pé! To-pé!... » *Dès qu'ils sortent de scène, on entend de nouveau des rires à l'intérieur des « voitures 2 et 4 ». On entend aussi le rire bruyant de Milos. Milos regarde à droite. Vive satisfaction. Il se dirige vers les « voitures 2 et 4 ». Il dit à ceux qui s'y trouvent:*

MILOS. — Maintenant, voilà les autres.

Milos se cache à nouveau derrière la « voiture A ». Les jumelles sont maintenant braquées vers la droite.
Tout à coup entrent en scène Lasca et Tiossido, à toute vitesse, poussant une bicyclette qu'ils tiennent par le guidon. Ils traversent la scène de droite à gauche. Quelques instants après que Lasca et Tiossido ont disparu à gauche, Topé entre à droite tout à fait épuisé. On voit qu'il tente encore de rattraper Lasca et Tiossido. Il traverse la scène de droite à gauche et sort à gauche.
Les « voitures 2 et 4 » ont suivi le passage de Lasca et Tiossido et celui de Topé. Lorsque Topé est sorti, on entend des rires dans les « voitures 2 et 4 » et aussi le rire de Milos.

MILOS, *il s'approche de la « voiture 2 » et dit à l'homme qui s'y trouve:* Ce sont des gosses.

VOIX D'HOMME, *« voiture 2 ».* — Oui, de vrais gosses.

Il rit.

MILOS, *à haute voix et à la cantonade.* — Non, mais, est-ce que vous les avez vus? — *(Rire.)* C'était drôle.

Il rit, imité par les gens des voitures de sorte que leurs rires s'enchaînent et que, pendant une demi-minute, on n'entend que ce rire collectif qui va crescendo. Tout à coup, Dila se montre à la fenêtre de la « voiture A ». Elle est très en colère.

DILA. — Vous voilà encore en train de rire comme des imbéciles.

Soudain, silence de mort. Milos tente de se cacher, il est terrorisé.

DILA. — Qu'est-ce qui vous fait tant rire? *(Silence. Légers chuchotements à l'intérieur des voitures.)* Vous vous taisez?

MILOS. — Laisse-les, Dila, ne leur fais pas de reproches. Ils dorment, ils ne t'entendront pas.

Dès que Milos s'est mis à parler, l'homme de la « voiture 2 » a passé ses jumelles à travers les rideaux: il les braque effrontément sur Dila.

DILA. — Ils dorment? Tu crois que je suis stupide? Il y a une minute, ils riaient comme des idiots et, d'un seul coup, les voilà endormis. Tu me prends pour une imbécile?

MILOS. — Ils ne riaient pas. Ils rêvaient. Tu sais bien que les pauvres malheureux font tellement de cauchemars qu'ils crient toute la nuit.

DILA. — Mais puisque je te dis qu'ils riaient.

MILOS. — Souvent on n'entend pas très bien. Combien de fois ai-je cru qu'ils criaient alors qu'ils riaient! Et combien de fois c'était le contraire! Les pauvres, ils souffrent tellement!

Dila s'aperçoit tout à coup que les jumelles de la « voiture 2 » sont braquées sur elle.

DILA, *indignée, à l'homme de la « voiture 2 »*. — Comment oses-tu me regarder à la jumelle?

Aussitôt, l'homme de la « voiture 2 » retire précipitamment ses jumelles. A ce moment précis, l'homme de la « voiture 4 » passe effrontément les siennes entre les rideaux et observe Dila.

MILOS. — Quelles jumelles?

DILA. — Tu ne les a pas vues?

MILOS. — Mais non, le pauvre est tout bonnement en train de dormir!

DILA, *elle aperçoit tout à coup les jumelles de l'homme de la « voiture 4 »*. — Toi aussi, maintenant? Tu t'y mets aussi avec tes jumelles?

Précipitamment, l'homme les fait disparaître, tandis qu'elles apparaissent et disparaissent aussitôt dans la « voiture 2 ».

MILOS. — Laisse-les, Dila. Si tu continues à leur faire des reproches, ils vont se fâcher. Tu sais comme ils sont timides et susceptibles.

DILA. — Tu oses les défendre? Toi, toi qui es justement le plus coupable de tous.

MILOS. — Dila, calme-toi et allons dormir.

DILA. — Demain, je m'occuperai de toi.

MILOS. — Non, Dila, ne fais pas ça, ne me punis pas.

DILA. — Si, je te punirai. Tu l'as bien mérité.

MILOS. — Il faut voir comme tu es méchante avec moi!

DILA. — Viens au lit et cesse de grogner. Je suis trop bonne.

Dila et Milos entrent dans la « voiture A ». Pendant cette dernière scène, apparaissent alternativement, dans les « voitures 2 et 4 » des jumelles braquées effrontément sur Dila. Alors que Dila s'apprête à fermer la porte de la « voiture A », les deux jumelles la suivent en même temps.

Silence.

Les jumelles disparaissent. On entend, dans la « voiture 3 », la conversation suivante entre mari et femme:

VOIX DE FEMME. — Elle est vraiment cruelle avec nous.

VOIX D'HOMME. — Un de ces jours, elle nous défendra même de respirer.

VOIX DE FEMME. — Qu'est-ce qu'on lui a fait pour qu'elle soit comme ça?

VOIX D'HOMME. — Alors qu'avec elle on a toujours été gentils.

VOIX DE FEMME. — Quand elle saura ce qu'on a fait, elle va grimper au mur!

VOIX D'HOMME. — Ça c'est sûr.

VOIX DE FEMME. — Elle nous en veut.

VOIX D'HOMME. — Elle nous a pris en grippe.

VOIX DE FEMME. — Terriblement!

Silence.

Bientôt entrent à droite Emanou et Fodère. Ils se dirigent vers la gauche. Ils crient : « To-pé! Topé! Topé!... » *Ils le cherchent. Parvenu au milieu de la scène, Fodère fait signe à Emanou de s'asseoir sur les chaises longues. Emanou et Fodère s'asseyent. Ils sont à moitié couchés sur les chaises : ils ont l'air fatigué. Ils s'endorment. Tout à coup, on entend des grognements dans la « voiture 3 ». Silence.*

VOIX D'HOMME, « *voiture 1* ». — Ils l'ont bien cherché.

Silence.

VOIX D'HOMME, « *voiture 2* ». — Mais on aurait quand même pu éviter ça.

Silence.

VOIX D'HOMME, « *voiture 3* ». — Éviter ça!

Silence.

VOIX DE FEMME, « *voiture 3* ». — C'est facile à dire, mais...

Silence.

VOIX D'HOMME, « *voiture 4* ». — Ils manquent d'expérience.

Silence.

VOIX D'HOMME, « *voiture* 5 ». — Ce sont des gosses!

Silence.

Tout à coup, on entend les arguments pesés, posés, pondérés, sans qu'il y ait un seul éclat de voix, de tous ceux qui se trouvent à l'intérieur des cinq voitures. Comme ils parlent tous à la fois, et à peu de chose près sur le même ton modéré, on n'entend presque rien. De temps en temps, on distingue des phrases : « Moi, je crois que... » « On ne pouvait pas faire autrement... » « Dans un cas pareil... » « Mais il s'agit peut-être de... » « Mais plutôt ça que... » « C'est pourquoi si les moyens... » « Moi je dis que... »

On entend maintenant la voix de l'homme de la « voiture 3 » qui crie: « Silence, silence, silence... » *Sa voix s'élève crescendo jusqu'à ce que tout le monde se taise.*

Silence.

Les jumelles des « voitures 2 et 4 » apparaissent, elles sont braquées sur la « voiture 3 ».
Coup de klaxon de la « voiture 3 ». Dila sort de la « voiture A », portant une marmite d'eau chaude. Elle la passe entre les rideaux de la « voiture 3 ». Elle-même entre dans la « voiture 3 ». Bruits à l'intérieur.
Enfin s'élèvent les vagissements d'un nouveau-né. Chuchotements dans les autres voitures. Petits rires.

VOIX D'HOMME, « *voiture 3* ». — Qu'est-ce que c'est?

VOIX DE DILA, « *voiture 3* ». — Un garçon.

VOIX D'HOMME, « *voiture 3* », *air joyeux.* — Un garçon! C'est ce que je voulais. C'est si difficile à caser les filles. Un garçon! C'est un garçon!

Il est fou de joie. Chuchotements dans les autres voitures.

VOIX DE DILA, *en colère.* — Et que ce soit la dernière fois!

VOIX D'HOMME. — On ne l'a pas fait exprès. On avait pris des précautions.

VOIX DE DILA, *en colère.* — Des précautions! En vérité vous êtes de vrais porcs. Dès qu'on n'a plus l'œil sur vous, vous voilà vautrés l'un sur l'autre. Que ce soit bien la dernière fois!

VOIX D'HOMME, « *voiture 3* ». — Oui, je vous le promets.

Chuchotements. Petits rires.

Dila sort de la « *voiture* 3 ». *Elle revient à la* « *voiture A* ». *Elle disparaît à l'intérieur.*

Silence (dans le silence on entend seulement de temps en temps les cris d'un nouveau-né).

Emanou se réveille. Il réveille Fodère.

EMANOU. — Et Topé qui ne revient plus! Où a-t-il bien pu aller? *(Mimique de Fodère exprimant l'hésitation.)* Ça commence à m'inquiéter.

Fodère fait signe à Emanou qu'il faudrait jouer de leurs instruments.

EMANOU. — C'est vrai, comme ça, il se rendrait compte que nous sommes là.

Emanou joue de la trompette, Fodère du saxophone. Tous deux jouent avec enthousiasme.
Bientôt entrent à droite Lasca et Tiossido, toujours habillés en agents et poussant la bicyclette qu'ils tiennent par le guidon.
Lasca et Tiossido traversent la scène à toute vitesse pendant qu'Emanou et Fodère jouent. Parvenue au milieu de la scène, Lasca se retourne vers la droite et regarde au loin, avec beaucoup de difficulté: elle met la main au-dessus de ses yeux pour les protéger.

LASCA, *à Tiossido.* — Il ne peut plus avancer d'un pas.
TIOSSIDO. — Ça ne fait rien. Il faut qu'on continue.

Ils traversent la scène et sortent à gauche. Fodère et Emanou jouent toujours.
Peu après Lasca et Tiossido reviennent et font signe à Fodère et Emanou: jouez moins fort, ne nous cassez pas les oreilles avec votre tapage. Emanou et Fodère jouent moins fort. Lasca et Tiossido sortent aussitôt à gauche à toute vitesse. Emanou et Fodère jouent toujours. Ils cessent enfin de jouer.

VOIX D'HOMME, « *voiture 2* ». — Heureusement qu'ils s'arrêtent!
VOIX D'HOMME, « *voiture 4* ». — Ça suffit pour aujourd'hui.

Emanou et Fodère regardent de tous côtés. Ils sont désolés : Topé n'arrive pas.

EMANOU. — Rien. Il n'arrive pas. Il faut croire qu'il s'est perdu.

Fodère fait signe à Emanou qu'il faudrait consulter Dila.

EMANOU. — La pauvre, elle doit être en train de dormir.

Fodère insiste.

EMANOU. — C'est bon. Je vais la prévenir.

Emanou frappe à la porte de la « voiture A ». Il dit en essayant de ne pas crier trop fort : « Dila, Dila, Dila. » *Milos apparaît à la fenêtre de la « voiture A ».*

MILOS. — Ces Messieurs désirent-ils passer la nuit?
EMANOU. — Non. On voudrait parler à Dila.
MILOS. — Ces Messieurs ont besoin d'une femme. Ils préfèrent Dila ou bien une brune?
EMANOU. — On veut parler à Dila.
MILOS, *toujours respectueux.* — Les désirs de ces Messieurs sont des ordres. J'appelle tout de suite Dila.

Milos rentre dans la voiture.

VOIX DE MILOS. — Mais puisque je te dis de ne pas t'habiller. Vas-y nue. *(Un temps.)* C'est ça, toujours aussi têtue.

Dila sort de la voiture tout habillée.

EMANOU. — Dila!
DILA. — Qu'est-ce vous voulez?
EMANOU. — On cherche Topé. Tu sais où il est?
DILA. — Je ne l'ai pas vu. Il n'était pas avec vous?
EMANOU. — Si, mais il a disparu.
DILA. — Eh bien, moi, je ne l'ai pas vu non plus.
EMANOU. — Nous sommes dans de beaux draps : les flics nous cherchent et Topé n'est même pas avec nous.
DILA. — C'est vrai.
EMANOU. — Qu'est-ce que tu crois qu'ils vont me faire, les flics?
DILA. — Ils vont sûrement te tuer. Tu sais bien que ces gens-là font toujours les choses en grand.
EMANOU. — Si Topé était là, je me sentirais moins seul.
DILA. — C'est évident.
EMANOU. — Je vais avoir vraiment peur.
DILA. — Allons, il ne faut pas. Et puis tu savais bien quand tu as commencé à jouer pour les pauvres que tout ça finirait mal. *(Tendrement :)* Tu es le somnambule qui ignore le rêve et le chemin.
EMANOU. — Mais je ne pensais pas mal faire.
DILA. — Non, mais tu t'es trop entêté. Un jour ou deux, ça passe, mais pas plus.
EMANOU. — Oui, bien sûr, je m'en rends compte : je donne le mauvais exemple.
DILA. — Un très mauvais exemple. Pense un peu à ce qui arriverait si tout le monde se mettait dans la tête d'être bon comme toi.
EMANOU. — Tu as raison : Je me sens triste comme si j'étais entouré de sauterelles d'acier, de lys d'angoisse, d'étoiles noires et d'une muraille longue et laide comme un boa.

DILA. — Quant aux pulls et aux marguerites... On a beau faire ces choses-là en secret, elles finissent toujours par se savoir.

EMANOU. — Mais tu sais bien que lorsqu'on est bon *(il récite en hésitant)* on ressent une grande joie... *(il continue à réciter en hésitant de plus en plus)*... qui... découle... non, qui provient... de la paix... de la bonté, non, de la bonté, non, de la paix... qui... *(Ton normal, au tragique.)* J'ai oublié, Dila.

DILA, *désagréablement surprise.* — Comment, tu as oublié?

EMANOU. — Oui, Dila, j'ai oublié. Ce n'est pas ma faute, je ne l'ai pas fait exprès.

Tout à coup, au fond et à droite, on entend les cris d'une foule : « Ils cherchent toujours des prétextes. » « On en a assez qu'ils se moquent de nous. » « Mu-sique! Mu-sique! Mu-sique!... » *Emanou et Fodère, cloués par l'épouvante, ont écouté les protestations.*

EMANOU. — Tu les entends? *(Un temps.)* Ils ont l'air furieux!

DILA. — Bien sûr, c'est ta faute : tu leur promets d'y aller et tu n'y vas pas.

EMANOU. — Mais je ne peux pas, Dila. Si j'y vais les flics vont m'arrêter.

Au fond, on entend toujours les protestations : « Mu-sique! Musique! Musique! » *sert de rengaine aux mécontents.*

DILA. — Si tu veux, c'est moi qui irai leur dire de se taire.

EMANOU. — Oui, Dila, vas-y, moi, je n'ose pas.

Dila sort à droite.
Deux choses ont lieu en même temps .
a) Au fond et à droite on siffle Dila.
On entend la voix de Dila au loin :

DILA. — Taisez-vous un instant. *(Silence.)* Les musiciens ne peuvent pas venir. La police les poursuit. *(Ils sifflent. Ils crient :* « Tout ça ce sont des excuses. » « On en a assez », etc.). Taisez-vous. *(Silence. Dila, avec violence :)* Filez d'ici tout de suite si vous ne voulez pas que je me mette vraiment en colère. *(Murmures.)* Vous m'avez entendu? Filez d'ici une bonne fois et sans souffler mot. *(Silence.)*

b) Tiossido et Lasca entrent en scène à droite, ils vont très vite et tiennent la bicyclette par le guidon. Ils s'arrêtent au milieu de la scène. Ils regardent au fond et à droite. LASCA. — Il ne peut plus faire faire un pas. Il est sur les genoux. TIOSSIDO, *tout content.* — On a déjà un tour d'avance sur lui. *Lasca et Tiossido sortent à gauche toujours à toute allure.*
Dila entre en scène à droite.

DILA. — On dirait qu'ils se sont calmés.

EMANOU. — Heureusement.

DILA, *le réprimandant.* — Ce que tu dois faire, c'est ne jamais leur manquer de parole.

EMANOU. — Tu verras, c'est la dernière foi.

DILA. — Je n'ai aucune confiance dans tes promesses.

EMANOU. — Vous êtes tous contre moi.

DILA, *tendrement.* — Tu es semblable aux doux matins fleuris et tu chantes comme le mois d'avril mais tu agis sans réfléchir *(durement).* Crois-tu que quelqu'un qui aurait un peu d'expérience et un brin de jugement se serait conduit comme toi?

EMANOU. — Je suis comme ça. Je ne peux pas faire autrement. Mais si tu veux je construirai une spirale au fond d'un abîme et je resterai là pour toujours en compagnie des araignées et des immortelles.

DILA. — Tu manques de courage.

EMANOU. — Vous me faites tous des reproches.

DILA. — Crois-tu que tu mérites autre chose? D'ailleurs, comme si ça ne suffisait pas, à présent tu as oublié pourquoi il faut être bon.

EMANOU. — Tu vas voir, ça va me revenir.

DILA. — Tu oublies tout. Avant tu changeais une motocyclette en papillon et du réservoir d'essence tu faisais surgir un crocodile. Maintenant tu sais seulement jouer de la trompette, et encore il faut s'estimer heureux.

Topé entre à droite. Il est épuisé. Il se dirige vers l'une des chaises longues après avoir salué les amis et se couche, vaincu par la fatigue.

EMANOU. — Topé! Où étais-tu?

TOPÉ. — Et vous?

EMANOU. — Tu nous cherchais?

TOPÉ. — Oui.

EMANOU. — Nous aussi, nous te cherchions.

DILA. — Voilà pourquoi vous ne vous êtes pas rencontrés.

EMANOU. — Comme tu es fatigué!

TOPÉ. — Bien sûr, je ne fais que courir depuis que je vous ai quittés.

EMANOU. — Pauvre Topé.

DILA. — Tiens, il sait bien lui, comment il faut se conduire dans la vie. C'est lui que tu devrais écouter.

EMANOU. — Je t'écoute, toi qui es mon champ libre et ma mouette et mon ailleurs. *(Un temps.)* J'ai des amandes. Vous voulez en manger avec moi?

Tous font oui de la tête. Emanou sort un paquet d'amandes. Tous plongent tour à tour la main dans le sac et commencent à manger.

DILA. — Elles sont très bonnes.
EMANOU. — Devinez à qui je les ai prises!
DILA. — Au confiseur de la grand-rue.
EMANOU. — Tu es très perspicace!
DILA. — Je te connais bien : sous prétexte que c'est un vrai porc couvert d'argent, tu lui voles tous les soirs un paquet d'amandes.
EMANOU. — Si je le fais, c'est pour qu'il y en ait pour tous, sans penser à mal.
DILA. — Tu fais tout sans penser à mal.

Ils mangent avec l'air de se régaler.

DILA. — Si les flics finissent par te prendre, plus tard, chaque fois que l'on mangera des amandes on se souviendra de toi.
TOPÉ. — On te les offrira en pensée.

Fodère fait signe que oui d'un air joyeux.
Dans le silence on entend les pleurs du nouveau-né de la « voiture 3 ». Puis la voix de sa mère qui lui dit : « Qui est-ce qui va faire téter son petit ange? » *La mère doit lui donner le sein : les pleurs se sont calmés. Pendant ce silence les trois amis ont mangé avec voracité. De temps en temps ils font des remarques :* « Elles sont salées » *ou* « délicieuses », etc.

DILA. — J'en mangerais bien un kilo à moi toute seule.

A droite, Lasca et Tiossido entrent en tenant la bicyclette par le guidon. Ils sont toujours habillés en agents de police et marchent à vive allure. Ils se dirigent vers la gauche. Tout à coup ils aperçoivent Topé dans le groupe. Topé, voyant les deux agents, s'approche d'Emanou et l'embrasse, tandis que Lasca et Tiossido l'observent. Aussitôt Tiossido et Lasca se jettent sur Emanou.

LASCA, *à Emanou.* — C'est toi Emanou?
EMANOU. — Oui, c'est moi.
LASCA. — Tu es arrêté

Dila sort en courant, remplie de frayeur, et se réfugie à droite. Lasca tente de passer les menottes à Emanou. Tiossido l'observe.

TOPÉ, *il essaie de l'interrompre pendant qu'elle passe les menottes à Emanou.* — Mon argent, donnez-moi mon argent. *(Un temps.)* Vous avéz promis de me payer. *(Un temps.)* C'est moi qui l'ai dénoncé : vous devez me donner mon argent. *(Un temps.)* Vous me l'aviez promis. Vous ne vous en souvenez pas?

Lasca a eu du mal à passer les menottes à Emanou. Elle ne parvenait pas à faire fonctionner le mécanisme. Topé, pendant ce temps, a réclamé son argent. Ni Lasca ni Tiossido ne lui prêtent la moindre attention. Enfin, lorsque les menottes sont bien mises, Lasca s'adresse à Tiossido.

LASCA. — Tu as le chèque sur toi?

TIOSSIDO. — Non, moi non. Qu'est-ce que tu veux que j'en fasse?

LASCA. — Mais c'est toi qui l'as gardé, non?

TIOSSIDO. — Mais non. Regarde dans tes affaires.

Topé continue à réclamer son argent avec de plus en plus d'insistance. Ni Lasca ni Tiossido ne l'ont regardé une seule fois. Lasca fouille dans ses poches; elle en tire toutes sortes d'objets : des papiers, des crayons, des fleurs, des mirlitons, des mouchoirs, une boîte à surprise, etc. Tiossido, dans son excès de zèle, ouvre par erreur la boîte à surprise : un diablotin en sort et lui saute au nez. Lasca continue à chercher le chèque. Topé, de plus en plus anxieux, leur réclame son argent.

TIOSSIDO. — Cherche bien partout.

Ils continuent à chercher.

LASCA, *elle réfléchit.* — Ah! *(Elle se frappe le front.)* J'ai une de ces têtes!

Lasca ôte son képi. Elle regarde à l'intérieur. Elle en tire un panier.

LASCA, *à Topé, d'un air tout à fait triomphant.* — Prends ton chèque.

Lasca lui tend le chèque sans le regarder. Topé, tout content, fait des bonds. Il dit : « Hip, hip, hip, hourra ! » *Il sort à toute allure à gauche, fou de joie.*

TIOSSIDO. — Tu as une tête de linotte.

LASCA. — C'est vrai, j'oublie tout.

Tout à coup Lasca et Tiossido s'aperçoivent que Fodère les regarde. (Fodère s'est un peu éloigné lorsqu'on a passé les menottes à Emanou : il se cache mais il veut suivre la marche des événements.) Tiossido empoigne brutalement Fodère par le revers de son veston.

TIOSSIDO, *à Lasca, montrant Fodère.* — Il était avec lui. N'est-ce pas ?

LASCA. — Je croix bien l'avoir vu avec lui.

TIOSSIDO. — Ce n'était pas lui qui jouait du saxophone avec Emanou ?'

LASCA. — Si, je crois bien que si.

TIOSSIDO, *à Fodère.* — Tu étais l'ami d'Emanou, n'est-ce pas ?

Fodère dit non de la tête. Il fait de grands gestes d'innocence.

LASCA, *à Fodère.* — Mais vraiment tu n'étais pas son ami ?

Fodère dit non de la tête. Il fait de grand gestes d'innocence.

TIOSSIDO, *à Fodère.* — Pourtant je jurerais t'avoir vu avec lui. Tu n'es pas son ami ?

Fodère dit non de la tête. Il proteste plus que jamais de son innocence en hochant la tête.

LASCA. — Puisqu'il dit que non.

Tiossido lâche Fodère. Fodère, rempli de crainte, sort en courant à gauche.
Tout à coup on entend tous les klaxons en même temps comme si un coq chantait.

LASCA. — On l'emmène au bec de gaz ? *(Elle montre sa droite.)*
TIOSSIDO. — Oui, c'est le meilleur coin.
LASCA. — Tu as les fouets ?
TIOSSIDO. — Bien sûr.
LASCA, *brutalement, à Emanou.* — Ne bouge pas !

1. *Tiossido frappe discrètement et cérémonieusement à la porte de la « voiture A ». Aussitôt Milos paraît à la fenêtre. Milos regarde Tiossido et disparaît derrière le rideau en toile de sac. Il reparaît avec une cuvette et un pot d'eau. Tiossido se lave les mains cérémonieusement. Milos disparaît à nouveau. Tiossido, les mains mouillées, frappe à la porte de la « voiture 2 ». Bientôt surgit une serviette de toilette entre les plis du rideau.*

2. Pendant ce temps Lasca a mesuré minutieusement Emanou et l'a examiné en détail. Ceci est sans doute nécessaire et elle s'acquitte consciencieusement de sa tâche, le tout au milieu d'un profond silence.

LASCA. — Tu es prêt?
TIOSSIDO. — Attends!

Tiossido fait plusieurs exercices d'assouplissement.

TIOSSIDO. — Me voilà prêt.
LASCA. — Alors, allons-y.

Lasca pousse Emanou. Tous trois se mettent en route vers la droite : d'abord Emanou, derrière Tiossido et Lasca tenant toujours la bicyclette par le guidon. Ils sortent à droite.
Aussitôt on entend des rires dans les cinq voitures. Peu après s'élève la voix de Tiossido, au loin à droite.

VOIX DE TIOSSIDO. — C'est moi qui commence.

On entend les coups de fouet que l'on administre à Emanou et les plaintes de ce dernier. Dans la « voiture 3 » on entend les pleurs du nouveau-né qui couvrent les gémissements d'Emanou.

VOIX DE FEMME, « *voiture 3* ». — Qu'est-ce qu'il a mon petit ? Ne pleure pas.

L'enfant pleure de plus en plus.

VOIX DE FEMME. — Amuse-le.
VOIX D'HOMME, « *voiture 3* ». — Je ne sais pas. Je ne sais pas faire des risettes.
VOIX DE FEMME. — Mais rends-toi compte comme il pleure le pauvret. Ça ne te fait pas de peine ? Essaie de l'amuser.
VOIX D'HOMME, *il braie très fort.* — Hi-han ! Hi-han ! Hi-han !

L'enfant pleure encore plus. Milos sort de la « voiture A » toujours impeccablement habillé en valet de chambre, il porte un biberon sur un plateau. Parvenu à la « voiture 3 » il passe le biberon à l'intérieur.

MILOS. — Voici pour Monsieur et Madame.

L'enfant se tait. Dans le silence on entend au loin les coups de fouet que l'on administre à Emanou. Ses gémissements sont de plus en plus plaintifs. Tout à coup, vive plainte d'Emanou. L'enfant de la « voiture 3 » pleure à nouveau. Les parents essaient de le calmer. Coup de klaxon de la « voiture 2 ». Milos passe la tête sous le rideau de la « voiture 2 ».

VOIX D'HOMME, « *voiture* 2 ». — Apporte-moi ce gosse. Je veux le voir.

Milos revient vers la « voiture 3 ». Il passe les mains à travers le rideau et reçoit le nouveau-né enveloppé de langes. Il le porte à la « voiture 2 ». L'enfant pleure toujours.

VOIX D'HOMME, « *voiture 2* ». — Petit, calme-toi. *(L'enfant cesse de pleurer.)* On dirait un singe. Petit, tu peux pleurer. *(L'enfant pousse des hurlements.)* Pas si fort. *(L'enfant pleure moins fort.)* Tais-toi, petit. *(L'enfant se tait.)* Il a l'air obéissant.

MILOS, *ton confidentiel.* — Il est comme son père. C'est son père tout craché.

VOIX D'HOMME. — Son père aussi ressemble à un singe?

MILOS. — Non, je veux dire qu'il est aussi très obéissant.

VOIX D'HOMME, « *voiture 2* ». — Tu peux, pleurer, petit. *(L'enfant pleure.)* Plus fort, petit. *(L'enfant pleure plus fort.)* Il est vraiment très obéissant ce petit. Tu peux le rendre à sa mère.

MILOS. — Merci beaucoup, Monsieur. Monsieur désire-t-il autre chose?

Milos se dirige vers la « voiture 3 ». Il rend l'enfant.

VOIX DE FEMME, « *voiture 3* ». — Promenez-le pour qu'il s'endorme.

MILOS. — Voulez-vous que je lui chante une berceuse pour qu'il s'endorme vite?

VOIX DE FEMME. — Non, pas de berceuse. Notre enfant est un vrai militaire. Chantez-lui la marche des dragons.

MILOS. — Avec des tambours ou avec des trompettes ?

VOIX DE FEMME. — Avec des tambours.

MILOS. — A vos ordres, Monsieur et Madame.

Milos commence à promener l'enfant. Il le berce comme une nourrice. Malgré ses promesses, il lui chante une berceuse. Tandis qu'il promène l'enfant, on entend la conversation suivante dans la « voiture 3 ».

VOIX DE FEMME, « *voiture 3* ». — Tu as entendu ce qu'il a dit ?

VOIX D'HOMME, « *voiture 3* ». — Oui, il est charmant !

VOIX DE FEMME. — Mais tu as bien entendu ce qu'il a dit du petit ?

VOIX D'HOMME. — Cette histoire du singe.

VOIX DE FEMME. — Oui.

VOIX D'HOMME. — Je te répète qu'il est charmant. Depuis qu'il sait que nous avons un enfant, je suis sûr que le plaisir l'empêche de dormir.

VOIX DE FEMME. — Il est charmant.

On entend les coups de fouet et les plaintes d'Emanou. Vive plainte d'Emanou. L'enfant toujours dans les bras de Milos pleure bruyamment. Coup de klaxon de la « voiture 4 ». Milos s'approche de la « voiture 4 » avec l'enfant qui pleure dans ses bras. Il passe la tête sous le rideau de la « voiture 4 ».

VOIX D'HOMME, « *voiture 4* ». — Donne-le-moi.

Milos passe l'enfant dans la « voiture 4 ». On entend que l'homme bat l'enfant. L'enfant se tait. L'homme de la « voiture 4 » rend l'enfant à Milos. L'enfant recommence à pleurer.

VOIX D'HOMME, « *voiture 4* ». — Passe-le-moi encore.

Même jeu.

VOIX D'HOMME, « *voiture 4* ». — Donne-le-moi encore.

Même jeu. L'enfant se tait définitivement. Milos recommence à se promener en chantant une berceuse à l'enfant. Coup de klaxon de la « voiture 3 ». Milos s'approche de la « voiture 3 ».

VOIX DE FEMME, « *voiture 3* ». — Passez-moi le petit.
MILOS, *lui donnant le petit.* — Voici, Monsieur et Madame.
VOIX DE FEMME. — Il a été sage?
MILOS. — Oui, très.
VOIX DE FEMME. — Il a fait pipi?
MILOS. — Non, puisque je vous dis qu'il a été très sage.
VOIX DE FEMME. — C'est un vrai petit ange.

MILOS. — Monsieur et Madame désirent-ils autre chose ?

VOIX DE FEMME. — Non, rien d'autre.

MILOS. — Je souhaite une bonne nuit à Monsieur et Madame.

Milos revient vers la « voiture A ». Il y pénètre. On entend les coups de fouet et les plaintes d'Emanou. Les coups cessent. Silence.

VOIX DE FEMME, « *voiture 3* ». — Regarde, il s'est endormi comme un petit ange.

VOIX D'HOMME, « *voiture 3* ». — Comme un vrai petit ange.

On entend « endormi comme un petit ange », *dit par l'homme et la femme de la* « *voiture 3* », *de moins en moins fort jusqu'à ce qu'on n'entende plus rien.*

Silence.

A droite entrent Tiossido et Lasca qui tiennent la bicyclette par le guidon. Ils semblent faire un gros effort, ils avancent lentement. Sur la bicyclette, Emanou est attaché, défait, couvert de sueur et de sang : sa nuque repose sur le guidon, ses pieds sur le porte-bagages, les bras sont étendus sur le guidon. Ils traversent la scène de droite à gauche. Ils s'arrêtent au milieu. Il se passe deux choses :

1. *Dila entre à droite. Elle s'approche d'Emanou avec un grand linge et éponge la sueur de son visage. Emanou, dans un dernier effort, lui dit en la voyant :*

EMANOU, *il récite.* — Quand on est bon on ressent *(on entend un long murmure)*... de la paix de l'esprit... *(nouveau murmure)*... de l'homme.

Dila l'embrasse passionnément sur la bouche et s'enfuit à droite.

2. *Tiossido frappe à la porte de la « voiture A ». Bientôt sort Milos.*

TIOSSIDO. — Aide-nous.
MILOS. — Je ne peux pas, j'ai beaucoup de travail.
TIOSSIDO. — Je te dis de nous aider.
MILOS, *de mauvaise grâce.* — C'est bon, allons-y.

Milos, Tiossido et Lasca se mettent en marche. Tiossido et Lasca tiennent la bicyclette par le guidon. Milos pousse par-derrière. Bien qu'ils soient trois, ils ont beaucoup de mal. Ils traversent la scène de droite à gauche et sortent à gauche. Les jumelles des « voitures 2 et 4 » ont suivi leur marche. Lorsque la bicyclette est sortie, on entend des rires dans les voitures.

Un temps.

Le jour se lève.

A droite et au fond s'élève le son déchirant d'une clarinette et d'un saxophone jusqu'à la fin de la pièce. Dila sort de la « voiture A », une clochette à la main.

DILA, *s'adressant à tous les gens des voitures tandis qu'elle agite violemment sa clochette.* — Levez-vous. Levez-vous, il est l'heure. *(Avec violence.)* Ne faites pas semblant de dormir, je sais très bien que vous êtes réveillés. Je vous dis de vous lever. *(Dila passe la clochette à l'intérieur de toutes les voitures pour faire beaucoup de bruit.)* Levez-vous, c'est l'heure. Vous ne m'entendez pas ? Levez-vous tous.

Tandis que Dila dit tout cela, Lasca et Tiossido entrent à droite. Lasca est habillée en athlète : elle porte le numéro 456 sur la poitrine, elle semble fatiguée. Tiossido, à ses côtés, infatigable, en tenue de ville, scande le rythme. Lasca marche au pas de gymnastique. Ils se dirigent de droite à gauche.

TIOSSIDO. — Un, deux, un, deux, un, deux, un, deux, un, deux...

RIDEAU

Paris, 1957.

TABLE DES MATIÈRES

Achevé d'imprimer en janvier 1982
sur les presses de l'Imprimerie Bussière
à Saint-Amand (Cher)

— N° d'édit. 1333. — N° d'imp. 2673. —
Dépôt légal : janvier 1982.
Imprimé en France

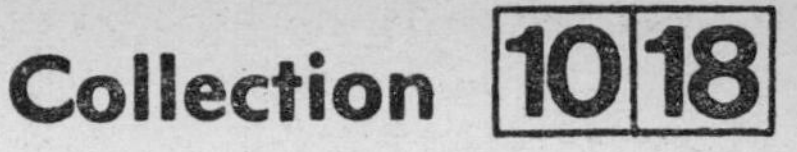

dirigée par
Christian Bourgois

liste alphabétique des titres disponibles

- **abélard et héloise** correspondance 1309*****
- • **adotevi** negritude et négrologues 718*** (7)
- **amin** l accumulation à l'échelle mondiale
  t. I 1027******
  t. II 1028******
- • **andréani** antitraité d'harmonie 1263 (esth.)
- **anthologie des troubadours** (p. bec) (éd. bilingue) 1341****** (b.m.)
- **arrabal** l'architecte et l'empereur d assyrie 634***
- **arrabal** le cimetière des voitures 735**
- **arrabal** l'enterrement de la sardine 734**
- **arrabal** fêtes et rites de la confusion 907***
- • **arrabal** lettre au général franco (éd. bilingue) 703*
- **arrabal** la pierre de la folie 1162***
- **arrabal** la tour de babel 1352******
- **arrabal** viva la muerte (baal babylone) 439***
- **arsan** (voir emmanuelle)
- • **artaud** (colloque de cerisy) 804***
- • **avron** l'appareil musical 1292*** (esth.)
- **bachelard** l'activité rationaliste de la physique contemporaine 1161*****
- • **badinter** les « remontrances » de malesherbes 1771-1775 1268*****
- • **ballif** voyage de mon oreille 1351***** (esth.)
- • **bataille** (colloque de cerisy) 805***
- **bataille** le bleu du ciel 465***
- **bataille** les larmes d'éros 1264**
- **bataille** ma mère 739**
- **bataille** madame edwarda, le mort, histoire de l'œil 781***
- **baudelaire** les fleurs du mal 1394****
- **baudelaire** les paradis artificiels 43***
- • **bauer** un urbanisme pour les maisons 1293*****
- **bellow** un homme en suspens 1415***** (d.é.)
- **benchley** le supplice des weekends 1429***** (d.é.)
- • **biermann** la harpe de barbelés (éd. bilingue) 706***
- **bioy casarès** l'invention de morel 953**
- **borgès** histoire de l'infamie/histoire de l'éternité 184***
- • **bory** rectangle multiple, cinéma VII 1177******
- **bory** tout feu tout flamme 1327******
- **brassens** la tour des miracles 814***
- **breton** arcane 17 250**
- **w.s. burroughs** la machine molle 545***
- **w.s. burroughs** les derniers mots de dutch schultz 921***
- **w.s. burroughs** les garçons sauvages 1142*****
- **w.s. burroughs** exterminateur ! 1163*****
- **w.s. burroughs** nova express 662**
- **w.s. burroughs** le ticket qui explosa 700***
- • **butor** (colloque de cerisy) 902******
- • **cahiers jussieu université paris 7 :**

• voyages ethnologiques n° 1 1014******
• le mal de voir n° 2 1101******
• l'espace et la lettre n° 3 1180******
• connaissance du tiers monde n° 4 1199******
• les marginaux et les exclus dans l'histoire n° 5 1290******
calaferte requiem des innocents 1406***
calvino marcovaldo 1411*** (d.é.)
castaneda l'herbe du diable et la petite fumée 1113*****
• **castoriadis** la société bureaucratique
t. I les rapports de production en russie 751*****
t. II la révolution contre la bureaucratie 806******
• **castoriadis** l'expérience du mouvement ouvrier
t. I comment lutter 825****
t. II prolétariat et organisation 857******
• **castoriadis** capitalisme moderne et révolution
t. I l'impérialisme et la guerre 1303******
t. II le mouvement révolutionnaire sous le capitalisme moderne 1304*****
• **castoriadis** le contenu du socialisme 1331******
• **castoriadis** la société française 1332*****
• **cauquelin** cinévilles 1310****** (esth.)
• **cause commune :**
1978/1 1214****** (c.c.)
• les imaginaires t. 2 1979/1 1296******
cavanna cavanna 612****
• **cavanna** je l'ai pas lu, je l'ai pas vu, mais... (chronique d'hara-kiri-hebdo)
t. I 1969/1 962****
t. II 1969/2 963****
t. III 1970 1092*****
• **cerisy (colloque de)** voir artaud, barthes, bataille, butor, chemins actuels de la critique, discours utopique, duchamp littérature latino-américaine, nietzsche, nouveau roman, le naturalisme, robbe-grillet, verne, vian.
• **de certeau** l'invention du quotidien t. I arts de faire1363******
charbonnier entretiens avec claude lévi-strauss 441***
• **charles** gloses sur john cage 1212***** (esth.)
• **château/jost** nouveau cinéma, nouvelle sémiologie, essai d'analyse des films d'alain robbe-grillet 1295******
chateaubriand la vie de rancé 243***
cheikh hamidou kane l'aventure ambiguë 617***
• **les chemins actuels de la critique** (colloque de cerisy) 389****
chodolenko le roi des fées 1166***
• **cixous/clément** la jeune née 984*****
• **clément** miroirs du sujet 1004***** (esth.)
cocteau la difficulté d'être 164***
cohen leonard l'énergie des esclaves (éd. bilingue) 835***
cohen leonard the favorite game 663***
cohen leonard les perdants magnifiques 775***
cohen leonard poèmes et chansons (éd. bilingue)
t. I 683***** t. II 1195*****
contes pour rire ? fabliaux des XIIIe et XIVe siècles 1147*****
copi le bal des folles 1194***
copi théâtre 792**
darien bas les cœurs 506***** (f.s.)
darien biribi 469****** (f.s.)
darien la belle france 1235***** (f.s.)
darien l'épaulette 797 (f.s.)
darien les pharisiens 1234***** (f.s.)
darien le voleur 586
• **delfeil de ton** les lundis de ddt
t. I palomar et zigomar sont au pouvoir (charlie hebdo) 1974/1 965******
t. II palomar et zigomar tirent dans le tas (charlie hebdo) 1974/2 966******
• **delfeil de ton :**
• les lundis de ddt
t. I 1973/11216******

t. II 1973/2 1217******
• les lundis de ddt charlie hebdo 1972/1 1281****** 1972/2 1282******
descartes discours de la méthode 1*****
deutscher trotsky le prophète armé t. I 679****** t. II 688******
deutscher trotsky le prophète désarmé
t. III 1312*****
t. IV 1313*****
deutscher trotsky le prophète hors-la-loi
t. V 1387******
t. VI 1388******
dickens olivier twist
t. I 1336*****
t. II 1337*****
dickens m. pickwick, les archives posthumes du pickwick club
t. I 1338******
t. II 1339******
dickens nicolas nickleby
t. I 1374
dickens nicolas nickleby
t. II 1375
dickens barnabé rudge
t. I 1378
t. II 1379
• **le XVIIIe siècle en 10/18** 1103******
• **le XVIIe siècle en 10/18** 1361******
• **dissidence de l'inconscient et pouvoirs** (verdiglione) 1369*****
• **duchamp** (colloque de cerisy) 1330******
• **dufrenne** art et politique 889**** (esth.)
• **dupriez** gradus les procédés littéraires 1370******
• **eisenstein** la non-indifférente nature t. I (œuvres t. II) 1018******
• **eisenstein** la non-indifférente nature t. II (œuvres t. IV) 1276******
• **eisenstein** mémoires I (œuvres t. III) 1189******
• **eisenstein** mémoires II (œuvres t. V) 1356*****
• **eisenstein/nijny** mettre en scène 821***
• **éléments pour une analyse du fascisme** (séminaire de maria a. macciocchi paris VIII vincennes 1974/1975)
t. I 1026****** t. II 1038******
emmanuelle (arsan)
t. I la leçon d'homme 799*****
t. II l'anti-vierge 837******
t. III nouvelles de l'érosphère 873**
t. IV l'hypothèse d'éros 910****
t. V les enfants d'emmanuelle 1059*****
émilienne 990******
fitzgerald histoires de pat hobby 1418**** (d.é.)
• **la folie, le temps, la folie,** vapeurs 1979 1305******
• **gaudin** l'écoute des silences 1289***** (7)
• **geng** l'illustre inconnu 1230*****
george prof. à t. 1098***
• **giard/mayol** l'invention du quotidien t. II : habiter, cuisiner 1364*****
• **gili** le cinéma italien 1278******
ginsberg howl/kaddish 1402*****
• **giovannangeli** - écriture et répétition - approche de derrida 1350*** (esth.)
gombrowicz ferdydurke 741***
goncourt germinie lacerteux 1344***** (f.s.)
goncourt manette salomon 1345****** (f.s.)
goncourt la fille elisa/la faustin 1346****** (f.s.)
• **granoff** les amants maudits
• **granoff** anthologie de la poésie russe
• **granoff** chemin de ronde, mémoires
• **granoff** une voix, un regard
• **granoff** naguère
• **granoff** poètes et peintres maudits
greene un américain bien tranquille 1414***** (d.é.)
greene notre agent à la havane 1397****** (d.é.)
grimod de la reynière écrits gastronomiques 1261******
guattari la révolution moléculaire 1371******
haddad je t'offrirai une gazelle 1249**
• **hampaté bâ** l'étrange destin de

wangrin 785****** (v.a.)
hardellet lourdes, lentes 1164***
hegel la raison dans l'histoire 235*****
• **heller** la théorie des besoins chez marx 1218***
• **histoire du marxisme contemporain**
t. I 1060******
t. II 1061******
t. III 1131******
t. IV 1224*****
t. V 1314*****
huxley les portes de la perception 1122*****
huysmans marthe les sœurs vatard 973****** (f.s.)
huysmans en ménage à vau-l'eau 974****** (f.s.)
huysmans à rebours/le drageoir aux épices 975****** (f.s.)
huysmans en rade/un dilemme/croquis parisiens 1055****** (f.s.)
huysmans l'art moderne certains 1054****** (f.s.)
isherwood mr. norris change de train 1419***** (d.é.)
isherwood la violette du prater 1436**** (d.é.)
• **istrati** vers l'autre flamme 1360*****
james ce que savait maisie 1401****** (d.é.)
jaspers introduction à la philosophie 269***
jaulin la paix blanche, introduction à l'ethnocide
t. I indiens et colons 904**** (7)
t. II l'occident et l'ailleurs 905**** (7)
jaulin la mort sara 542*** (7)
• **juin** lectures du XIXe siècle
t. I 1032***** (f.s.)
t. II 1178***** (f.s.)
kerouac mexico city blues t. I 1288***** t. II 1315*****
kerouac vanité de duluoz 1408*****
• **khatibi** vomito blanco 879**
khatibi la mémoire tatouée 1326***
kipling misère et douceur de l'inde 1365***** (a)
kipling au hasard de la vie 1366****** (a)
kipling puck lutin de la colline 1367****** (a)
kipling le naulahka 1368***** (a)
kipling retour de puck 1372***** (a)
kipling sous les cèdres de l'himalaya 1373***** (a)
kipling la cité de l'épouvantable nuit 1410****
klotz les innommables 780*
klotz sbang-sbang 1196***
• **kofman** nietzsche et la scène philosophique 1349******
• **kopp** changer la vie, changer la ville 932****** (esth.)
• **laborit** l'homme imaginant 468***
• **laborit** l'agressivité détournée 527***
la bruyère les caractères 113*****
• **lacassin** mythologie du roman policier t. I 867*** t. II 868***
• **lacassin** passagers clandestins t. I 1319******
lardner champion 1425***** (d.é.)
• **lascault** figurées, défigurées 1171***** (esth.)
• **lascault** écrits timides sur le visible 1306****** (esth.)
laure écrits 1262******
leacock ne perdez pas le fil 1428***** (d.é.)
• **le bot** figures de l'art contemporain 1125***** (esth.)
• **lecture plurielle de l'écume des jours** 1342****** (voir vian)
• **lefebvre** de l'état
t. II théorie marxiste de l'état de hegel à mao 1090******
t. III le mode de production étatique 1129******
t. IV les contradictions de l'état moderne 1207******
le rouge la conspiration des milliardaires (a.i.)
t. I 1148******
t. II 1149******
t. III 1159******
le rouge le mystérieux docteur cornélius (a.i.)
t. I 971*****
t. II 972*****
t. III 991******
t. IV 992******

mammeri l opium et le bâton 1252******

mandel traité d'économie marxiste
t. I 428*****
t. II 430***
t. III 432*****
t. IV 434*****

marx critique de l'état hégélien 1109*****

marx grundrisse
t. I l'argent 732***
t. II le capital 733***
t. II bis (supplément gratuit)
t. III le capital (suite) 807******
t. IV plus-value et profit 833**
t. V travaux annexes; index 909******

marx manifeste du parti communiste 5***

marx la question juive 412**

marx/engels la crise 1266******

• **mathieu/castellani** éros baroque - anthologie thématique de la poésie amoureuse 1283*****

mathiez la révolution française
t. I 1279******
t. II 1280******

• **matvejevitch** pour une poétique de l'événement 1297*****

maugham le fil du rasoir 1399****** (d.é.)

maupassant chroniques
t. I 1382******
t. II 1383******
t. III 1384******

meilcour rose et carma 1435*****

mercier dictionnaire d'un polygraphe (textes établis et présentés par g. bollème) 1233******

• **metz** le signifiant imaginaire 1134****** (esth.)

michault œuvres poétiques (b. folkart) 1386*****

miller (henry) jours tranquilles à clichy 798**

mirbeau l'abbé jules 1132*****

mirbeau sébastien roch 1133******

mirbeau la 628-E8 1136******

mirbeau les vingt et un jours d'un neurasthénique 1137******

morrison seigneurs et nouvelles créatures 1219*****

• **moscovici** la société contre nature 678****

nabokov regarde les arlequins 1417***** (d.é.)

• **nattiez** fondements d une sémiologie de la musique 1017****** (esth.)

nelli l'érotique des troubadours t. I 884****

nietzsche ainsi parlait zarathoustra 646*****

nietzsche l'antéchrist 360***

nietzsche le gai savoir 813******

nietzsche le nihilisme européen 1062*****

nietzsche généalogie de la morale 886*****

nietzsche par-delà le bien et le mal 46*****

• **nietzsche aujourd'hui ?** (colloque de cerisy)
t. I intensités 817****
t. II passion 818****

noël (b.) le château de cène/ l'outrage aux mots 1126***

• **noguez** le cinéma, autrement 1150****** (esth.)

• **nouveau roman : hier, aujourd'hui** (colloque de cerisy) t. I 720**** t. II 725****

ortigues œdipe africain 746****

• **oury** il, donc 1222***

oyono le vieux nègre et la médaille 895***

oyono chemin d'europe 755***

perec un homme qui dort 1110***

• **perrier** la chaussée d'antin t. I 1203*****

• **perrier** la chaussée d'antin t. II 1275******

• **pestureau** (voir vian)

• **pleynet** transculture 1335******

poèmes de la mort (éd. bilingue) 1340***** (b.m.)

georges poulet études sur le temps humain (éd. du rocher) t. I, t. II, t. III, t. IV

• **prétexte : roland barthes** (colloque de cerisy) 1265******

rebell la câlineuse 1227****** (f.s.)

rebell les nuits chaudes du cap français/le magasin d'auréoles/ femmes châtiées 1226****** (f.s.)

rebell la nichina 1228

rebell la femme qui a connu l'empereur 1317****** (f.s.)
rebell la camorra/la saison à baia 1318****** (f.s.)
reich la révolution sexuelle 481******
remy midi ou l'attentat 1407****
rené d'anjou le livre du cuer d'amours espris (s. wharton) 1385*****
restif de la bretonne le ménage parisien 1257******
restif de la bretonne le paysan perverti t. I 1258****** t. II 1259*****
restif de la bretonne ingénue saxancour 1260******
• **revault d'allonnes (cl.)** le mal joli 1057***** (f.f.)
• **révo. cul. dans la chine pop.** 901***** (b.a.)
• **revue d'esthétique :**
• il y a des poètes partout 1975/3-4 1001******
• lire 1976/2-3 1091******
• voir, entendre 1976/4 1116******
• l'envers du théâtre 1977/1-2 1151******
• la ville n'est pas un lieu 1977/3-4 1193******
• érotiques 1978/1-2 1231******
• collages 1978/3-4 1277******
• rhétoriques, sémiotiques 1979/1-2 1324******
• pour l'objet 1979/3-4 1347******
• le deux 1980/1-2 1393******
rezvani les américanoiaques 694**
rezvani la voie de l'amérique 762****
• **robbe-grillet : analyse, théorie** (colloque de cerisy)
t. I cinéma/roman 1079******
t. II roman/cinéma 1080******
robbe-grillet l'immortelle 1010*****
roche (denis) « louve basse » 1362******
• **rostand** aux frontières du surhumain 8**
• **roudinesco/deluy** la psychanalyse mère et chienne 1307******
rougemont l'amour et l'occident 34******
rousseau du contrat social 89******
roussel (raymond) comment j'ai écrit certains de mes livres 1124***** (f.s.)
de roux maison jaune 1029***
sade les cent vingt journées de sodome t. I 913*****
t. II 914*****
sade les crimes de l'amour 584*****
sade discours contre dieu 1358*****
sade historiettes, contes et fabliaux 408***
sade histoire de juliette t. I 1086, t. II 1087, t. III 1088
sade histoire de sainville et de léonore 57******
sade les infortunes de la vertu 399**
sade lettres choisies 443**
sade la nouvelle justine
t. I 1241****** t. II 1242******
sade opuscules et lettres politiques 1321*****
° **sade** les prospérités du vice 446***** (tva 33 %)
° **sade** justine ou les malheurs de la vertu 444***** (tva 33 %)
sade la marquise de gange 534*****
sade la philosophie dans le boudoir 696***
• **sadoul** écrits t. I chroniques du cinéma français 1302******
saint-simon (duc de) mémoires (extraits) 912******
saki la fenêtre ouverte/nouvelles 1 1400***** (d.é.)
saki l'omelette byzantine (nouvelles t. II) 1431***** (d. é.)
salinger franny et zooey 1396**** (d.é.)
• **véra schmidt/annie reich :** pulsions sexuelles et éducation du corps 1322***** (q.c.)
schopenhauer métaphysique de l'amour/métaphysique de la mort 207***
schwob cœur double/mimes 1298*****
schwob le roi au masque d'or/ vies imaginaires/la croisade des enfants 1299*****

schwob le livre de monelle/spicilège/l'étoile de bois/il libri della mia memoria 1300*****
shafton le moine apostat 1434**
singer gimpel l'imbécile 1416***** (d.é.)
sinclair (upton) la jungle
t. I 954****** t. II 955******
soljénitsyne une journée d'ivan denissovitch 488***
soljénitsyne zacharie l'escarcelle 738*
stevenson aventures de david balfour t. I enlevé ! 1042***** t. II catriona 1043******
stevenson le cas étrange du docteur jekyll et de mister hyde et autres nouvelles 1044****** (a.i.)
stevenson le creux de la vague 1172***** (a.i.)
stevenson dans les mers du sud 1390****** (a.i.)
stevenson la france que j'aime 1246***** (a.i.)
stevenson le maître de ballantrae 1120***** (a.i.)
stevenson prince othon 1039*****
stevenson le trafiquant d'épaves t. I 1152***** t. II 1153***** (a.i.)
stevenson nouvelles mille et une nuits (a.i.)
t. I le club du suicide 1040***** (a.i.)
t. II le dynamiteur 1041***** (a.i.)
t. III le pavillon sur les dunes 1141***** (a.i.)
stevenson un mort encombrant 1377***** (a.i.)
stevenson veillées des îles 1112***** (a.i.)
stevenson voyages avec un âne dans les cévennes 1201***** (a.i.)

- **stoianova (ivanka)** geste, texte, musique 1197***** (esth.)
- **sudreau** rapport sur la réforme de l'entreprise 967*****

talon la marquesita 1359*****
thurber la vie secrète de walter mitty 1427**** (d.é.)

- **tillon** la révolte vient de loin 671******

tinan - penses-tu réussir !/un document sur la puissance d'aimer/chronique du règne de félix faure t. I 1391******
tinan - aimienne/l'exemple de ninon de lenclos amoureuse/noctambulismes 1392******
tolkien les aventures de tom bombadil (éd. bilingue) 1244***
tolkien faerie 1243*****
topor four roses for lucienne 1213***
trotsky l'appareil policier du stalinisme 1025*****
trotsky cours nouveau 665**
trotsky littérature et révolution 553******

- **trotsky** la lutte antibureaucratique en urss
t. I les réformes possibles (1923-1933) 1005*****
t. II la révolution nécessaire (1933-1940) 1006*****

trotsky staline t. I 1354******
t. II 1355******

- **vapeurs 1979** la folie, le temps, la folie 1305******
- **verdiglione** la psychanalyse cette aventure qui est la mienne 1329*****

verne césar cascabel 1247****** (j.v.i.)
verne clovis dardentor et un neveu d'amérique 1308****** (j.v.i.)
verne famille sans-nom (pour le québec libre) 1210***** (j.v.i.)
verne l'île à l'hélice 1221****** (j.v.i.)
verne l'invasion de la mer suivi de martin paz 1239***** (j.v.i.)
verne histoires inattendues 1229****** (j.v.i.)
verne les naufrages du « jonathan » (socialisme, communisme et anarchie) 1209****** (j.v.i.)
verne le pilote du danube 1286***** (j.v.i.)
verne p'tit bonhomme 1220****** (j.v.i.)
verne sans dessus dessous 1273***** (j.v.i.)
verne textes oubliés 1294****** (j.v.i.)
verne un billet de loterie 1274*** (j.v.i.)

- **verne** (colloque de cerisy) 1333****** (j.v.i.)

vian (arnaud) les vies parallèles 453

• **vian** (costes) lecture plurielle de l'écume des jours 1342******

• **vian** (pestureau) boris vian, les amerlauds et les godons 1253******

vian cantilènes en gelée 517**

vian le chevalier de neige 1206******

vian chroniques de jazz 642******

vian chroniques du menteur 1395**

vian derrière la zizique 1432***

vian écrits pornographiques 1433**

vian l'écume des jours 115***

vian en avant la zizique 589***

vian (sullivan) elles se rendent pas compte 829**

vian (sullivan) et on tuera tous les affreux 518***

vian je voudrais pas crever 704**

vian les fourmis 496*****

vian le loup-garou 676***

vian les morts ont tous la même peau 1114***

vian textes et chansons 452***

vian théâtre t. I 525******
t. II 632*****

vian trouble dans les andains 497***

vian (colloque de cerisy)
t. I 1184****** t. II 1185******

vierge et merveille (p. kunstmann) 1424**** (b.m.)

waugh le cher disparu 1430*** (d.é.)

waugh retour à brideshead 1398****** (d.é.)

weber (max) le savant et le politique 134***

weil (simone) la pesanteur et la grâce 2***

woolf (virginia) journal d'un écrivain t. I 1138*****
t. II 1139*****

• **woolf (virginia)** (colloque de cerisy) 1140*****

• **zumthor** anthologie des grands rhétoriqueurs 1232*****

• inédit.

° interdit à la vente aux mineurs et à l'exposition (tva 33 %).

(cerisy) colloques de cerisy la-salle

(esth) série « esthétique » dirigée par Mikel Dufrenne

(a) série « l'appel de la vie » dirigée par Francis Lacassin.

(a i) série « l'aventure insensée » dirigée par Francis Lacassin.

(b a) série « bibliothèque asiatique » dirigée par René Vienet.

(f f) série « féminin futur » dirigée par Hélène Cixous et Catherine Clément.

(f s) série « fins de siècles » dirigée par Hubert Juin.

(q c) série « quels corps » dirigée par Jean-Marie Brohm et Marc Perelman.

(s) série dirigée par Bernard Lamarche-Vadel

(7) série dirigée par Robert Jaulin.

(r) série « rouge » dirigée par Jean-François Godchau et Alain Brossat.

(n r) série « noir et rouge » dirigée par Max Chaleil.

(v a) série « la voix des autres » dirigée par Stanislas Adotevi et Robert Jaulin.

(c c) série « cause commune » dirigée par Jean Duvignaud.

(n.q.) série « la nation en question » dirigée par Alain Le Guyader et Riwanon Jaffrès.

(j.v.i.) série « Jules Verne inattendu » dirigée par Francis Lacassin.

b.m. série « bibliothèque médiévale » dirigée par Paul Zumthor.

d.é. série « domaine etranger » dirigée par Jean-Claude Zylberstein.